HISTORIA DE UNA MAESTRA

Josefina Aldecoa (La Robla, León, 1926-Mazcuerras, Cantabria, 2011), durante sus años de estudiante en la Facultad de Filosofía y Letras, entabló amistad con una serie de personas que pasarían a formar parte de la llamada «Generación de los Cincuenta»: Rafael Sánchez Ferlosio, Jesús Fernández Santos, Alfonso Sastre, Carmen Martín Gaite e Ignacio Aldecoa, con quien se casó en 1952. En 1969 murió su marido y durante diez años permaneció alejada de la literatura, hasta que en 1981 apareció su edición crítica de una selección de cuentos de Ignacio Aldecoa. A partir de ese momento reanudó su actividad literaria y desde entonces ha publicado la memoria generacional *Los niños de la guerra*, las novelas *La enredadera, Porque éramos jóvenes, El vergel, Historia de una maestra, Mujeres de negro, La fuerza del destino, El enigma, La Casa Gris* y *Hermanas*; y los libros de recuerdos *Confesiones de una abuela* y *En la distancia*. Los libros de relatos *A ninguna parte* (1961) y *Fiebre* (2001) están recogidos en este volumen, así como los cuentos sueltos «Cuento para Susana» (1988) y «El mejor» (1998).

Josefina Aldecoa
HISTORIA DE UNA MAESTRA

punto de lectura

© 1990, Josefina Aldecoa
© De esta edición:
2007, Santillana Ediciones Generales, S.L.
Avenida de los Artesanos, 6. 28760 Tres Cantos (Madrid)
Teléfono 91 744 90 60
www.puntodelectura.com
www.facebook.com/puntodelectura
@epuntodelectura
puntodelectura@santillana.es

ISBN: 978-84-663-6870-4
Depósito legal: M-6.118-2012
Impreso en España – Printed in Spain

Fotografía de portada: © W. Eugene Smith / Magnum Photos / Contacto

Primera edición: enero 2007
Decimocuarta edición: junio 2013

Impreso por BLACK PRINT CPI (Barcelona)

12 / 2

Prólogo

Este libro lo escribí para regalárselo a mi madre, porque siempre me contó muchas historias cuando yo era pequeña, me hablaba de situaciones que ella, como maestra, había vivido. Basándome en todos esos recuerdos y también en los de mi infancia, escribí *Historia de una maestra*, que es un homenaje a mi madre y a los maestros de la República, a su esfuerzo y dedicación en unos momentos de nuestra historia en los que su sacrificio estaba justificado por la necesidad de salvar al país educándolo, pues tal fue el mandato que recibieron.

La historia es ficticia pero todo lo que sucede en ella es real, es un testimonio histórico que sirve además para conocer las durísimas condiciones de trabajo de los maestros rurales y el papel tan importante que desempeñaron haciendo gala de una constante muestra de vocación.

Después vinieron *Mujeres de Negro* y *La fuerza del destino*, las otras novelas que completan la trilogía y que, lejos de formar parte de un plan preestablecido, fueron surgiendo poco a poco, gracias al aliento de la gente que me animaba a seguir con esa historia. Y también porque me pareció justo permitir a la madre e hija que protagonizan la novela seguir con sus vidas sobre el telón de fondo de los cambios que fue experimentado España a lo largo del siglo XX.

Historia de una maestra no ha perdido ninguna vigencia, al contrario, a medida que nos alejamos de esa etapa mayor es su interés, el interés del testimonio que recoge. Creo que su autenticidad ha sido y sigue siendo el factor que ha animado a las distintas generaciones de lectores a acercarse a ella.

JOSEFINA ALDECOA
Diciembre de 2005

A mi madre

...como sé que los sueños, las más veces,
son burla de la fantasía y ocio del alma.

QUEVEDO

Primera parte

El comienzo del sueño

Contar mi vida… No sé por dónde empezar. Una vida la recuerdas a saltos, a golpes. De repente te viene a la memoria un pasaje y se te ilumina la escena del recuerdo. Lo ves todo transparente, clarísimo y hasta parece que lo entiendes. Entiendes lo que está pasando allí aunque no lo entendieras cuando sucedió…

Otras veces tratas de recordar hechos que fueron importantes, acontecimientos que marcaron tu vida y no logras recrearlos, sacarlos a la superficie… Si tienes paciencia y me escuchas y luego te las arreglas para ir poniendo orden en la baraja…

Si tú te encargas de buscar explicaciones a tantas cosas que para mí están muy oscuras, entonces lo intentamos. Pero poco a poco, como me vaya saliendo. No me pidas que te cuente mi vida desde el principio y luego, todo seguido año tras año. No hay vida que se recuerde así…

Para mí, por ejemplo está muy claro el día que di por terminada la carrera. Yo acababa de cumplir diecinueve años. Era un día de octubre de 1923. Lloviznaba. Desde muy temprano había contemplado por la ventana los árboles del parque cubiertos de una gasa tenue y abajo, al final de la ladera, un pozo de luz lechosa, como una nube o un ovillo de hilos enredados que flotaba sobre el suelo.

Al levantar el sol, cuando sólo quedaran jirones de niebla enganchados en los rincones más sombríos, por la ciudad se extendería un clamor de sonidos mezclados; cascos de caballos, bocinas de automóviles, gritos de niños, voces de vendedores ambulantes.

La ciudad era Oviedo y yo conocía sus amaneceres porque llevaba mucho tiempo viviendo allí, en la pensión de una familia que, como yo, procedía de un pueblo leonés situado en la línea de montañas que separa Asturias de la meseta.

En Oviedo estudié tres cursos y ese día y a esa hora que tan bien recuerdo estaba llegando a una meta. A las diez de la mañana en la Escuela Normal nos reuniríamos las compañeras. Recogeríamos libros, certificados; intercambiaríamos apuntes que nos iban a servir algún día para las oposiciones y nos despediríamos. Unas seguirían en la ciudad. Otras emprenderíamos el regreso a casa.

A las diez, yo vería una vez más mi nombre escrito entre otros muchos:

Gabriela López Pardo, Maestra… El fin de una etapa y el comienzo de un sueño.

Nunca olvidaré aquella mañana. Íbamos muy contentas por la calle todas las compañeras. Sólo una, Remedios, había suspendido, en junio y en septiembre, pero también ella estaba alegre porque de todos modos iba a casarse y decía:

«Qué más da si antes o después lo tenía que dejar…»

Íbamos hacia el centro de la ciudad y en esto vimos que la gente se agolpaba a los dos lados de la calle: «Ya vienen», decían. De puntillas, tratamos de ver lo que pasaba. A mí me dolía el cuello de tanto estirarme. Qué detalles tan tontos puede una recordar...

—La boda —dijo Rosa, como si estuviera al tanto de lo que iba a suceder. Y efectivamente vimos un coche descubierto y engalanado que se aproximaba por la calle vacía. Los rumores descendieron. Todo el mundo se concentraba en la contemplación del espectáculo. Cuando el coche llegó a nuestra altura pudimos ver con claridad a la pareja.

La novia iba sentada, erguida y arrogante. De vez en cuando recordaba que se esperaba su sonrisa y la esbozaba apenas. Era morena, delgada. Los ojos no expresaban sentimiento alguno pero observé que eran unos ojos grandes y luminosos. Una diadema le prendía en la frente el velo blanco que caía sobre los hombros y se deslizaba por la espalda. Con la mano derecha sujetaba un ramo de flores y me fijé en que los nudillos le blanqueaban de la fuerza con que lo apretaba. En la mano izquierda llevaba un guante puesto y el otro, vacío y desmayado, lo aferraba con el ramo.

—Ella está triste —informó Rosa—. Dicen que su familia no la dejaba casarse...

A mí me pareció que la novia no estaba triste; en todo caso nerviosa, deseando terminar cuanto antes el paseo para llegar a su casa o al Hotel o dondequiera que celebraran el banquete.

En el instante en que nos sobrepasaban, me fijé en el novio. Un hombre joven, serio, con un bigote negro que le acentuaba el gesto firme. Un hombre vestido con uniforme de gala. Miraba por encima del montón de personas que le rodeaban y su mirada se perdía en un punto lejano, más allá de la calle. No sé por qué, pensé: «Parece que estuviera en otra parte». Y cuando pasó el cortejo se lo dije a mis amigas.

—Parece que él está en otra cosa. Como si estuviera en otra parte…

Rosa insistía:

—Ella está triste. A la familia, él no le parece bastante…

En seguida nos fuimos cuesta arriba, por los caminos del Parque, y cuando nos despedíamos entre risas y gritos, los novios ya estaban olvidados y sólo nos quedaba la alegría de la nueva vida que íbamos a iniciar.

Muchas veces he vuelto a recordar aquella boda. La reseña la leí a los pocos días en un periódico pero los nombres no me dijeron nada: «… han contraído matrimonio la Srta. Carmen Polo y Martínez-Valdés y el Teniente Coronel D. Francisco Franco Bahamonde…».

Los nombres no me dijeron nada entonces. Años después los oiría por todas partes y, sin yo saberlo, marcarían para siempre mi destino.

—Señora maestra, le advierto que la van a recibir a palos porque la maestra anterior los tenía muy abandonados...

No supe qué contestar. El hombre comía con parsimonia. Cortaba un trocito de tocino con la navaja y lo extendía sobre una rebanada de pan. Parece que lo estoy viendo. Reseco, renegrido, bajo y fuerte. Venía a buscarme de parte del Alcalde para llevarme al pueblo, perdido en la montaña, que haría la tercera de mis interinidades.

Estaba sentado en un banco de la Plaza cuando el coche de línea se detuvo y de él bajamos los tres viajeros que quedamos para el final: un viajante de comercio con un maletín viejo y una capa sucia; un tratante de ganados con pelliza, faja y boina, y yo, con mi maleta de latón, la misma que mi padre había usado en sus escasos viajes. La que le acompañó en la guerra de Filipinas, en la de Cuba y en una excursión que hizo a Madrid a arreglar los papeles para trabajar en la oficina del ferrocarril.

Yo no soy cobarde; entonces, menos. Pero las palabras del hombre me encogieron el ánimo. En medio de aquella Plaza vacía —¿estaban todos comiendo en sus casas?, ¿trabajaban en el campo?— sentí miedo.

Me acordé de Rosa, mi compañera de curso: «Yo, si no me dan un pueblo cerca de casa, no voy», solía decir.

17

«Prefiero quedarme y esperar…» «Esperar ¿a qué?», le decía yo. Pero ella insistía: «Esperar». Es verdad que su padre era dueño de una fonda y allí tenía ella su medio de vida asegurado y hasta oportunidades de encontrar un novio conveniente. Como ella decía: «Nos interesa encontrar un novio conveniente…».

La memoria selecciona. Archiva la versión de los hechos que hemos dado por buena y rechaza otras versiones posibles pero inquietantes.

Yo creo que no me acuerdo nunca de la primera escuela que tuve como interina porque fracasé en ella. Fue un fracaso mío, personal, porque no supe, no pude en tan poco tiempo entrar de verdad en el pueblo. Trato de organizar los recuerdos y se me escurren, se me escapan entre los dedos como peces todavía vivos que se vuelven al agua al menor descuido.

Era Tierra de Campos. Veo con claridad el pueblo apareciendo en el horizonte, la primera vez que llegué acompañada de mi padre. Habíamos andado varios kilómetros desde la Estación y de pronto en una revuelta del camino, en el regazo de dos colinas suaves, allí estaba el caserío pardo amarillento, la Iglesia, los dos árboles a la puerta del cementerio. Cada vez que me viene a la imaginación esa estampa me desazona: la soledad de los campos al atardecer, el color morado del cielo que amenazaba tormenta. Ya de ahí el recuerdo salta a la posada asentada al borde del camino que daba entrada al pueblo. Me veo encogida al extremo de un banco corrido, ante una mesa larga que compartía con los trajinantes. Eran hombres cansados del camino. Bebían del porrón y apenas hablaban. Dormían en el pajar y no eran hombres convenientes, como diría Rosa. Pero me miraban y yo sentía que detrás de aquellas miradas había hambre de tantas cosas, un hambre y un cansancio inmensos.

En el rompecabezas no encajo unas piezas con otras. De la posada salto a la escuela. El primer día tenía preparado un discurso pero no me salió. Únicamente dije: «¿Quién sabe leer?». Y un niño menudito y rubiaco dijo: «Yo». «¿Y los demás?», insistí. «Los demás no saben», contestó él. «Si supieran no estarían aquí...» «¿Dónde estarían?», pregunté estúpidamente. Y él sonrió lacónico y dijo: «Trabajando».

Me acuerdo de mis paseos por los caminos polvorientos. Llevaba un libro conmigo, me sentaba al borde de la cuneta y miraba la tierra ocre y roja que me rodeaba. Al caer el sol, el cielo se derrumbaba en malvas, rosas, oros y yo sentía unas ganas terribles de llorar.

Nadie se me acercaba. Nadie se interesaba por lo que hacía. Sólo los niños acudían a su cita diaria. Yo trataba de atenderlos a todos. Hacía y deshacía grupos. Por edades, por tamaños, por inteligencias. Explicaba y repetía una y otra vez: «¿Entendéis?». Asentían con un tímido movimiento de cabeza y me escuchaban.

En la fonda tenía un cuarto pequeño y encalado con una cama y una silla por todo amueblamiento. La cama tenía sábanas gruesas de hilo casero. El colchón era de arena de río. «Más limpio y menos duro que la paja que se clava en las costillas», me explicó la mesonera. Antes de acostarme acercaba la silla a la ventana y miraba hacia fuera. Las noches brillantes y limpias me traían olor a cereal, a humo, a pan cocido en hornos caseros.

«¿Sería éste mi futuro?», me preguntaba. «¿Sería éste mi sueño?»

(3) Los niños progresaban. Una tercera parte ya leía a los dos meses de estar conmigo. «Estoy empezando a ser maestra», pensaba, «pero me falta mucho todavía».

Un día vino el Alcalde y me dijo: «Se tiene que ir. La semana que entra viene la propietaria». Y me enseñó un papel de la Inspección. Sólo había hablado con él dos veces: el día que llegué y me acompañó mi padre a saludarle y otro día que nunca olvidaré. Andaba yo paseando y me lo encuentro recogiendo los granos de trigo que habían quedado prisioneros en los rastrojos. Los arrancaba con la navaja y los iba metiendo en un saquito de lienzo. «Aprovecho el tiempo y me entretengo», me confesó. Yo sentí una opresión angustiosa en el pecho cuando pensé en los días que necesitaría para llenar el saquito. Era el rico del pueblo pero se inclinaba mil veces por no renunciar a un solo grano.

Si tuviera que buscar una imagen para recordar aquel pueblo, elegiría ésta, la del viejo con el traje de pana gastada, el sombrero negro calado hasta las cejas, inclinado sobre la tierra.

Y si poco me acuerdo de ese pueblo, menos del segundo.

Era un pueblo de vino y empecé en septiembre. Los diez niños del primer día se convirtieron en tres en seguida. «¿Dónde están los otros?», pregunté. «Vendimiando», me contestaron. Empezaban a incorporarse a la escuela cuando me mandaron a casa. Dos meses escasos, ¿cómo me voy a acordar? Estuve una temporada esperando y al fin me dieron la tercera escuela. Ésta me iba a durar. Nadie pide los pueblos perdidos en la montaña. A nadie le interesa enterrarse en la nieve. Así que para allá me fui con interés, con ilusión. Y mira por dónde, cuando voy a tocar tierra firme, viene el hombre que me mandan como guía y me suelta aquello: «Señora maestra, le advierto que la van a recibir a palos…». El hombre comía y de vez en cuando echaba un trago de la bota de vino. «¿Quiere?», había sido su último ofrecimiento. Y señalaba el pan con tocino y la bota. Yo dije que no con la cabeza. Cuando terminó el almuerzo, limpió la navaja en el pan que le quedaba, la cerró de un golpe seco y envolvió el resto de comida en un trapo de limpieza dudosa. Lo colocó en el zurrón que colgaba a su espalda y trabó en él la correílla de la bota de vino. Luego dijo: «Vamos», y me señaló el caballo que permanecía atado a una de las columnas de piedra de la Plaza.

No sé cómo, me encontré sentada en lo alto, la espalda erguida, las piernas colgando hacia un lado.

—Así va bien, a mujeriegas —dijo una mujer salida de las sombras de la Plaza.

El guía sujetó la maleta con una cuerda a mi lado. Yo me apoyé en ella y me sentí protegida por aquel cofre que guardaba mis tesoros, todo lo que me unía a mi casa, mi familia, mi mundo.

El guía dijo: «Arre». Y el caballo empezó a andar lentamente. Por las últimas callejas del pueblo sonaban los cascos: cloc, cloc, cloc. El guía corría entre los cantos desiguales del empedrado y me salpicaba el pañete de los zapatos nuevos. Por el camino en cuesta bajamos hasta un puente de madera que cruzaba un río estrecho de aguas turbulentas. Yo me agarré bien a la manta y me dije:

«No me puedo caer». Al vaivén de la marcha se me incrustaba en la cadera la esquina de la maleta y el dolor intermitente del golpeteo me daba ganas de llorar. Pero yo seguí pensando: «No me voy a caer y tampoco voy a llorar. Nadie me va a recibir a palos. Tengo todos mis papeles en regla. El Alcalde ha recibido el oficio comunicando mi llegada…».

Al ritmo de la marcha, la indignación me subía a la garganta y ahogaba la angustia y la sensación de lejanía que me había invadido desde que contemplé el circo de montañas que rodeaba al pueblo grande.

—Detrás de las primeras, las más altas, dando un rodeo, está su pueblo —me había dicho el conductor al ayudarme a bajar del autobús.

Ahora, por un camino angosto, tropezando a cada momento, marchábamos los tres: el hombre que iba a pie, sujetando las riendas del caballo; el caballo acostumbrado con toda seguridad a cargas más pesadas y yo, pegada a mi maleta.

Las peñas grises aparecían moteadas del verde que brotaba entre sus grietas. Por el cielo cruzó un águila, voló rauda sobre nuestras cabezas. Al avanzar, el paso se iba cerrando cada vez más hasta llegar a convertirse en un desfiladero. Un riachuelo discurría abajo, sus riberas eran minúsculas, apenas una breve pradera fileteando el curso del agua.

—Truchas. Muy buenas —dijo mi acompañante.

Y añadió al poco rato:

—Esto en invierno no hay quien lo cruce. Fíjese ahora, en buen tiempo y estamos empezando el viaje como aquel que dice. En invierno y con nieve, meses aislados…

Eran unos treinta. Me miraban inexpresivos, callados. En primera fila estaban los pequeños, sentados en el suelo. Detrás, en bancos con pupitres, los medianos. Y al fondo, de pie, los mayores. Treinta niños entre seis y catorce años, indicaba la lista que había encontrado sobre la mesa. Escuela unitaria, mixta, así rezaba mi destino. Yo les sonreí. «Soy la nueva maestra», dije, como si alguno lo ignorara, como si no hubieran estado el día antes acechando mi llegada. Recordaba al más alto, el del fondo. Parecía tener más de catorce años. Estaba medio subido a un árbol, cuando pasé ante él. Ahora me miraba en silencio. Le pregunté: «Eres el mayor, ¿verdad?». Negó con la cabeza y señaló a una niña más pequeña en apariencia.

«¿Cómo te llamas?», insistí. «Genaro, el del molino», contestó. «Pero ¿cómo te apellidas?» Farfulló algo entre dientes. «Está bien, Genaro. Tú vas a ser mi ayudante.» No se movía y tuve que pedirle: «Ven a mi lado». Salió de su fila, avanzó por el corto pasillo entre los bancos y la pared y se detuvo cerca de mí sin acercarse del todo.

—La escuela está vieja y sucia —dije a todos— y la vamos a arreglar. No podemos trabajar en un lugar tan feo.

Luego me dirigí a Genaro.

—A la salida busca cal y una brocha y di a cuatro de los mayores que se queden con nosotros.

Después pregunté cuántos sabían leer y escribir y sólo una pequeña parte levantó la mano. Así que los dividí en grupos, puse cerca de mí a los más pequeños y les dije:

—No podéis sentaros en el suelo. Mañana cada niño traerá una silla y una tablita para apoyar su cuaderno.

Como ninguno tenía cuaderno, arranqué una hoja de mi Diario para apuntar: «Pedir al pueblo grande treinta cuadernos y treinta lapiceros».

Aquel mismo día, cuando la tarde caía y las montañas envolvían en sombras anticipadas el valle, se abrió la puerta de la cocina de María y allí estaba el Alcalde, malhumorado y hosco. Sin quitarse la gorra, sin pasar de la puerta, me señaló con la cachava y dijo:

—Aquí no ha venido usted a pintar la escuela. Aquí ha venido usted a tener a los chicos bien enseñados. Así que déjese de pinturas…

Y se marchó. Me acerqué al umbral y le vi perderse por la calleja adelante. Una media luna pálida apareció entre dos montes. Por el río ladraron perros. Contestaban otros en el pueblo. Me parecían ladridos tristes, ululantes. Respiré hondo el aire fresco que venía a rachas cargado de olores campesinos, yerba seca de los pajares, abono, leche agria.

Siempre que me pongo a recapacitar sobre aquellos pueblos de mi juventud lo primero que me viene a la memoria son los olores, los colores, las sensaciones más elementales. Aunque yo diga: pensaba esto o lo otro, seguro que no era así, seguro que eso me lo imagino yo ahora, al paso del tiempo. Pero de lo que sí estoy segura es de las sensaciones. Por eso cuando hablo de la visita del Alcalde vuelvo a sentir el olor y el frescor de aquella noche.

En la Normal teníamos un profesor muy aficionado a las arengas. Ponía los ojos en blanco cuando nos hablaba de la importancia de nuestra función como educadoras.

«La joya más preciosa carece de valor si la comparamos con un niño. La planta más hermosa es sólo una pincelada de verdor; la máquina más complicada es imperfecta al lado de ese pequeño ser que piensa, ríe y llora. Y ese ser maravilloso, ese hombre en potencia ante el cual se doblega la Naturaleza, os ha sido confiado, mejor dicho, os será confiado a vosotras...»

Don Ernesto se llamaba, y parecía que su misión no era otra que la de insuflarnos el entusiasmo que nuestra profesión nos iba a exigir. Muchas veces me he acordado de él. He rememorado con amargura o con humor aquellas ampulosas afirmaciones suyas:

«La patria, la sociedad, los padres, esperan de vosotras el milagro, la chispa que encienda la inteligencia y forje el carácter de esos futuros ciudadanos...»

¡Qué hubiera dicho él si hubiera visto el recibimiento que me hicieron el día que llegué al pueblo!...

Ya de lejos, me había dicho mi acompañante:

—Ahí a la vuelta, en cuanto doblemos esa loma...

El valle era chiquito. Abajo, al borde del río, había pocas casas. La mayoría trepaban por las laderas del monte, huyendo de las riadas, pensé yo, o queriendo protegerse de una invasión imaginaria. El caso es que el pueblo aparecía de pronto, y se venía encima sin aviso, sin señal alguna que anunciara su existencia.

Entramos por la primera calleja que desembocaba en un cruce de calles mal trazadas, una especie de ensanchamiento en el centro del cual había una fuente.

—Ésta es la Plaza —dijo mi guía.

Había gente. Hombres, mujeres y niños vestidos con ropas pardas iluminadas a veces por el rosa fuerte de un jersey o el verde violento de un pañuelo. Parecían reunidos, esperándome. Pero no daban muestras de relación alguna entre sí.

No hablaban, no comentaban, no reían. Simplemente permanecían de pie, cerca unos de otros como buscando un mutuo apoyo para hacer más descansada la espera. Algunos chicos estaban encaramados en árboles raquíticos. Otros en tapias de piedra que protegían el huerto, el patio o la cuadra.

Se destacó un hombre mayor, recio y sombrío y me dijo:

—Yo soy el Alcalde y aquí estamos todos, que los he llamado a concejo a ver quién la quiere meter en su casa.

El guía me había ayudado a bajar del caballo y al poner pie a tierra se me doblaron las rodillas y casi me caigo después de las horas de tensión, subida a la grupa del animal. Me sentí ridícula al hacer aquella entrada tan poco airosa. Traté de sonreír.

—Buenas tardes —dije al Alcalde—. Soy Gabriela López.

Él insistió:

—A ver ahora que está aquí todo el gentío, quién se decide a tenerla...

Parecía enfadado y más que ayuda era como si estuviera formulando un desafío. Como si dijera: A ver quién se atreve... Los demás callaban. Una vieja a mi lado me habló en voz baja:

—Dice don Wenceslao... —fue lo único que pude entender.

Me cogió de la mano y me sacó del grupo. Allí quedaron todos hostiles o indiferentes. El guía dio un grito:

—A ver la maleta, quién la coge...

La mujer se acercó a buscarla.

—Raimunda, no tropieces —murmuró socarrón.

Ella no contestó, pero le lanzó una mirada de odio.

Entre charcos y piedras me fue conduciendo la mujer, cuesta arriba hasta un caserón que marcaba el final del camino.

—Aquí vive don Wenceslao —dijo. Y me empujó suavemente hacia el portón de roble guarnecido de clavos. Sobre la puerta un escudo sencillo de piedra carcomida distinguía y dignificaba la fachada.

Detrás, el monte avanzaba sobre el pueblo en forma de bosque frondoso de escajos y hayas.

Llevaba ya una semana en el pueblo cuando apareció el Cura en la puerta de la escuela. Los niños estaban en el recreo y corrieron a besarle la mano.

—Buenos días, señor Cura —cantaron todos con la misma musiquilla. Genaro estaba dentro de la clase y me ayudaba a colocar los bancos alrededor de las paredes.

—¿Qué hace usted, señora maestra? —preguntó el Cura. Y su cuerpo ocupó todo el umbral.

—Ya ve, colocar los bancos contra la pared.

—¿Y eso para qué, hija mía? —preguntó interesado.

Yo me había acercado a él y él me extendió la mano, elevada, acercándola para que la besara. La aprisioné en el aire y la estreché con un movimiento forzado. Él seguía mirando los bancos y el espacio vacío que había quedado en el centro de la habitación.

—¿Qué va a hacer usted? —preguntó otra vez.

Me quedé un poco indecisa ante el tono inquisitivo del visitante.

—Voy a hacer teatro con los niños. Teatro y canciones. Vamos a representar un cuento…

—Muchas modernidades trae usted para este pueblo —dijo el Cura sacudiendo la cabeza. Pero en seguida cambió de actitud y se volvió amable, casi zalamero—: Hoy me tocaba confesión en el pueblo de al lado y me dije: Habrá que ir a echar un vistazo a la señora maestra…

Yo sonreí cortésmente.

—¿Y cómo ha encontrado a estos mozos en Catecismo? —preguntó a continuación.

—Los encuentro mal en casi todo —dije evasivamente.

—Pues a ver si los mejora —dijo el Cura. Y el tono se había vuelto astuto y desconfiado.

Se recogió el manteo y se lo echó al hombro. Con las dos manos se alzó un poco los bordes de la sotana para no arrastrarla por el barro y se fue poco a poco por la calle adelante.

A las doce, cuando cerré la escuela para irme a comer, vi el caballo del Cura atado junto a la casa del Alcalde.

—Estarán comiendo —dijo Genaro que caminaba a mi lado—. Comen y se lo apañan todo juntos —continuó—. Ellos mandaron que usted no se quedara en casa de don Wenceslao…

Mi padre tenía la cabeza muy clara y me había educado con libertad, pero también con prudencia. Mi madre era una mujer bondadosa, pero desdibujada. Dejó mi educación en manos de mi padre, a quien admiraba sin reservas. Yo todo lo que soy, o por lo menos lo que era entonces, se lo debo a mi padre. Era un modesto funcionario de ferrocarriles que consumía sus días tras una mesa de escritorio, dibujando con su perfecta caligrafía relaciones de mercancías, horarios de trenes, fechas de referencia. Y cuando llegaba a casa se encerraba a leer.

Aún ahora que lo contemplo con la frialdad de los años pasados, valoro su pasión por el saber, el ansia por alcanzar fines nobles que proyectó en mí. «Dios no existe», me decía y le brillaban los ojos con el fervor del descubrimiento. «Dios no existe como lo ven los que creen en Él. Si hay una forma de divinidad está en todo lo que nos rodea: el mar y el monte y el hombre son Dios…» Mi madre escuchaba y guardaba silencio. Una noche les oí hablar. «Es una niña», decía mi madre, «y va a tener muchos disgustos con las ideas que le metes en la cabeza».

Solíamos pasear juntos por la carretera que salía del pueblo hacia el Norte. O subíamos a los montes cercanos por caminos que él conocía muy bien. Eran los mejores momentos, aquellos en que los dos solos hablábamos o hablaba él y yo escuchaba o interrumpía para que me aclarara alguna duda.

A veces se quedaba pensativo, detenía su marcha y me miraba.

«¿Tú crees que estoy loco?», me preguntaba. Yo me apresuraba a negar esa locura; le cogía de la mano y le sonreía. «Es muy difícil aceptar la incongruencia de la vida», me decía. «Por eso debes entender que haya gente que necesita religiones para dar respuesta a sus temores.»

Yo no lo entendía bien entonces. Pero recibía el mensaje de mi padre: «Respeta a los demás, respeta y trata de comprender a los otros».

Traté de comprender que no debía quedarme a vivir en la casa de don Wenceslao pero no lo conseguí. Fue una imposición, un abuso de poder, una coacción. Acababa de entrar en la casa, empujada por la mujer que llevaba mi maleta, y ya se oía tras de nosotras un cloqueo de madreñas, repiqueteando sobre las piedras de la calle. «Pase, pase, adelante», me dijo Raimunda. Y me señalaba una puerta cerrada al fondo del portal. Fui hacia la puerta, la abrí y una sala luminosa y cálida apareció ante mis ojos. Las lámparas encendidas en varios puntos de la enorme habitación despedían un leve olor a petróleo quemado. Cerca de la chimenea encendida un anciano sentado en una butaca, más bien hundido en ella, me contemplaba. No hizo ademán de levantarse. «Acérquese», ordenó. Y su voz era firme y más joven que el cuerpo del que procedía. Me fui acercando y me extendió la mano. «Es usted una niña. ¡Vaya maestra!», dijo. Sostuvo mi mano entre las suyas por un instante. Luego me invitó a sentarme. «Nadie la quiere, ¿eh? La verdad es que no han tenido mucha suerte. La última maestra se pasaba la vida en su pueblo, no muy lejos de aquí…»

Tenía unos ojos vivos que me examinaron con un par de giros rápidos, de arriba abajo, de derecha a izquierda.

—¿Tú querrías quedarte con nosotros? La casa es grande y sobra sitio. Raimunda te la enseñará. No hay otra decente en este pueblo…

En el portal se oían voces. Hablaban varias personas a la vez. Al poco Raimunda entró sin llamar:

—Don Wenceslao, dice el Alcalde que María la de la herrería se queda con ella —y me señalaba como si fuera un objeto en una subasta que ha encontrado, finalmente, comprador.

—Ya entiendo —dijo el anciano—. Nadie quería pero al fin ha surgido un voluntario… Haga lo que quiera. Si no le van bien las cosas esta casa está abierta para usted…

Cerró los ojos como dando por terminada la entrevista. Mi desconcierto iba en aumento. ¿Debía irme o quedarme? ¿Rechazaba el alojamiento o lo aceptaba sin discusión? Mi anfitrión no estaba dispuesto a intervenir. Me dejaba a solas con la decisión. Raimunda esperaba.

—Está bien. Iré. Buenas noches.

El anciano murmuró algo y con la mano hizo un gesto de despedida.

No había sido una elección. Genaro tenía razón: ellos habían decidido por mí que no me quedara en la casa que se me ofrecía.

—¿Y tú por qué crees que no querían? —pregunté a Genaro. Se quedó callado reflexionando. Buscaba las palabras porque no dudaba de lo que iba a decir sino de la forma de decirlo.

31

—Yo creo que les parece pecado, quedarse allí usted sola con ese hombre.

«Creo», me escribió mi padre, «que lo hacen movidos por escrúpulos de moral. Son estrechos de mente e ignorantes, no lo olvides. Trata de que sus hijos se conviertan en algo diferente».

Como Genaro, mi padre opinaba que había razones éticas para impedir mi estancia en la casona de don Wenceslao. Era una forma de velar por mi buen nombre o un deseo de impedir que me convirtiera en un mal ejemplo. De todos modos, me parecía que aquellas razones tenían un punto de nobleza que no acababa de aceptar.

La verdadera causa de aquella imposición la fui descubriendo poco a poco. Tenía que ver con la amplitud de espíritu de don Wenceslao y con el miedo a que, si yo la compartía, ambos nos convirtiéramos en una fuerza peligrosa en el pueblo; la fuerza de la inteligencia.

Todos los días antes de acostarme, escribía a la luz de la vela mi Diario de Clase.

«He dividido a los niños en tres grupos. Los que no saben ni las letras. Los que están torpes de lectura y escritura pero ya van sabiendo dominar estos mecanismos y por último los que leen y escriben con cierta soltura. Mientras unos trabajan en cálculo y los otros hacen ejercicios de lenguaje, los más atrasados trabajan directamente conmigo. Estoy empleando el método de la lectura por la escritura y me da buenos resultados.

»Luego voy cambiando de actividad: enseño a contar a los últimos, hago leer en voz alta al grupo intermedio y los más adelantados escriben una redacción. Después del recreo, la última hora de la mañana, hago una explicación para todos de temas muy elementales, un día de ciencias, otro de geografía, otro de historia.

»El estado de ignorancia es tan general que empleo el mismo vocabulario y los mismos recursos para los tres grupos.

»Nunca han oído estos niños una explicación sobre el lugar que ocupa la Tierra en el Universo, Europa en la Tierra, España en Europa. Creo que ni siquiera están seguros del punto de España en que se encuentran. Les entusiasma el descubrimiento de los movimientos de la Tierra, el paso del día a la noche, la marcha de las estaciones. He encargado a Lucas, el mandadero, el guía que me trajo, un globo terráqueo...»

Por Genaro me mandó don Wenceslao un recado: que no comprara el globo, que él tenía uno y que en el pueblo grande tampoco iba a encontrarlo. Que pasara a recogerlo cuando quisiera...

Era tarde y no pensé acercarme a la Casona, pero ya estaba María murmurando: «No son horas». Y luego me indicó haciéndome sitio entre los pucheros.

—Se prepare la cena, señora maestra.

Acerqué a la brasa el cazuelo desportillado que me había prestado para la leche y en el tazón de loza fueron cayendo las rebanadas finas de la hogaza que para mí tenía apartada.

—Hay miel —me había dicho—. Si quiere le aparto un pocillo para usted.

Yo tenía mi pan, mi miel, mi plato, mi cuchara. Todo aparte. Pagaría por todo a la mujer que me había acogido y que me advirtió desde el principio: «Usted me pide lo que yo tenga y yo se lo voy poniendo aparte y le llevo la cuenta en mi cabeza de lo que me debe».

Al atardecer me afligía una sombra de angustia. Yo venía de un pueblo, estaba acostumbrada a la vida tranquila y limitada de los pueblos. Pero el mío tenía una carretera importante, pasaban gentes, automóviles, carros, caballerías. Había Estación de ferrocarril y cuatro trenes diarios, dos hacia arriba, hacia el Norte, y dos hacia abajo, hacia Castilla.

Desde mi ventana yo veía pasar los trenes, los del día y los de la noche, y mi fantasía volaba tras el humo de la locomotora. Mi pueblo era alegre. Había un gran mercado todos los sábados. Venían las mujeres de los caseríos aislados en el monte. Traían pollos y conejos vivos, manojitos de cebollas, judías verdes, tomates. Los buhoneros, los ganaderos, los negociantes tomaban en la taberna de la Estación su copa de orujo mañanero y se instalaban luego para el trato y el regateo y la venta que terminaba hacia el comienzo de la tarde.

Yo tenía amigas, parientes, conocidos y en la calle me saludaban sin cesar, se detenían conmigo, me hacían preguntas, me contaban sucesos y rumores. Mi pueblo estaba vivo pero yo siempre había imaginado que lo dejaría, que mis estudios y mi carrera me servirían para ensanchar horizontes, me llevarían a lugares más amplios y mejores, no a esta tristeza del anochecer en un lugar perdido entre los montes.

Trataba de hablar con María. Le hacía preguntas sobre el pueblo, sobre la gente, pero ella se resistía y sólo contestaba aquellas que exigían un sí o un no concretos.

Vivía sola, por eso me había aceptado. Era viuda del herrero y no tenía hijos. La herrería estaba en la misma casa. Tenía un yunque silencioso y un horno apagado. El yunque fue un día sonoro y el hogar brillaría al rojo vivo. Pero María no sabía explicarme lo que había sido su vida y creo que tampoco era capaz de distinguir entre su soledad actual y la soledad de su hombre y ella, cuando dormían juntos y comían juntos y callaban juntos. Para subir a mi cuarto, por la noche, me daba una palmatoria con un cabo de vela. Yo quería una luz para leer pero nunca se lo dije. Con frecuencia encargaba velas a Lucas y era el momento en que María dejaba oír sus indescifrables murmullos, mezcla de gruñido animal y lenguaje humano propiamente dicho.

«... más que un entierro...», lograba descifrar yo. Y sabía que se refería a las velas.

Entre la incapacidad de expresión oral y la poca necesidad de comunicación que tenían mis nuevos convecinos, transcurrían los días en un aislamiento parecido al de Robinson Crusoe. Se me ocurrió que ése era un libro bueno para leer con los niños. Pero en seguida rechacé la idea y devolví el libro a don Wenceslao, mi proveedor. Porque me parecía imposible hacer llegar a mis alumnos la sensación de desgajamiento social que el náufrago literario había sentido al verse arrojado a la isla desierta. Sólo tratando de explicar mi propio destierro, acertaría a interesarles por una situación que tan lejana les era. Aunque ellos fueran, sin saberlo, auténticos robinsones en una tierra aislada de la civilización y del progreso.

—Señora maestra, a ver si usted sabe qué le pasa a la niña, que cada vez la veo más ruin, que se me va a morir...

La mujer plañía y se llevaba a los ojos secos un pañuelo de yerbas. Parecía una anciana, arrugada y sin dientes, y, sin embargo, la criatura que sostenía entre los brazos era suya. Me estaba esperando a la salida de la escuela y, ante mi estupor, me hacía una consulta médica. No supe qué decir pero miré a la niña que venía arrebujada en un mantón de lana negra. Era menuda y pálida y por su tamaño parecía tener muy pocos meses. «… la tengo siempre así, como dormida…»

—Mejor el médico —murmuré.

Y la mujer se revolvió furiosa.

—El médico nos tiene abandonados. Siete pueblos a su cargo y al nuestro nunca le toca —dijo chillando.

—¿Qué tiempo tiene la niña? —me encontré preguntando, atrapada en la farsa de mi sabiduría.

—Seis meses —dijo la madre. Se había puesto seria y se concentraba para contestar con repentino interés.

—¿Qué come? —pregunté invocando datos rudimentarios de mi libro de Puericultura.

—Pecho —me contestó señalando la planicie de su tronco escuálido—. Tomaba pecho al principio, pero ahora ni eso. Ni fuerza para agarrarlo tiene…

—Hambre —dije—. Yo creo que puede tener hambre.

La palabra me pareció terrible. No era una acusación pero sonaba a tal y temí la reacción de la madre.

—Cinco he criado con la misma leche —dijo la mujer—. Y todos han medrado que hasta el año no les daba más…

Contestó en voz baja, pero no estaba ofendida. Se había apagado, desilusionada ante la escasez de mis conocimientos o decepcionada por la falta de ayuda.

—¿Por qué no prueba a darle leche de vaca hervida y aclarada con agua? Poco a poco, a ver si la va tomando…

Me volvió la espalda y se marchó con su niña sin contestarme. Le conté a María el encuentro y ella salió de su habitual silencio para decirme:

—Ha criado a cinco, es verdad, pero se le han muerto ya tres.

Hablaba con la misma indiferencia con que hablaría del ganado, con la misma frialdad.

—Vende la leche, la poca que ordeña de la vaca —me dijo Genaro, cuando traté de saber algo más de la mujer.

Y cuando llegué a don Wenceslao con mis preguntas, movió la cabeza con desaliento.

—Ignorancia —dijo— y el abandono en el que viven. Sólo el veterinario viene de vez en cuando por la cuenta que le tiene. Cobra una iguala por los animales de cada vecino. Pero el médico no, el médico no cobra igualas y viene cuando puede. Se pasa la vida montado en el caballo, de pueblo en pueblo por esos riscos. ¿Qué quiere usted? De no ser algo muy grave…

Un niño iba a morir y eso no era muy grave. ¿Hasta el propio don Wenceslao opinaba eso? Me dejó consternada y se dio cuenta.

—No se desanime, mujer. La niña saldrá adelante. Ya lo verá…

Lo vi. A los diez o doce días allí estaba la madre esperándome otra vez. Un esbozo de sonrisa se dibujaba en la boca desdentada.

—Que sí, que sí, que la ha recetado muy bien. Que ya come y se revuelve…

Mi fama creció rápidamente y sin saber cómo, al mes de instalarme en la escuela, siempre había alguna mujer esperándome a la salida. Sus consultas eran variadas, no siempre de medicina. La mayor parte pude resolverlas con sentido común y buena voluntad. Se me ocurrió dar a la nueva situación una salida más eficaz. Fui a ver al Alcalde y le dije:

—Si no le parece mal pensaba organizar clases de adultos. Las mujeres vienen muchas veces a hacerme consultas y me parece mejor que cuenten con una hora fija. Les iré preparando charlas sobre lo que más les pueda interesar…

Su primitiva hostilidad no había desaparecido.

—Y qué tienen que aprender las mujeres —dijo—. Tarea les sobra con atender la casa y los animales.

No insistí. Estaba dispuesta a seguir adelante. Él esperaba tener que rebatir mis argumentos y al ver que éstos no llegaban su reacción fue más suave.

—Haga lo que quiera. Siempre se tiene que salir con la suya…

Yo sabía que estaría informado de mi actuación y que si algo había en ella que no le gustara, me lo haría saber.

De modo que un día a la semana, los jueves, reuní a las mujeres que quisieron venir. Empecé por la higiene doméstica. Al principio eran cuatro o cinco. Al cabo de un tiempo llegaron a diez.

A finales de octubre el tiempo empeoró. Los cielos azules del otoño se cubrieron de nubes y un cierzo helado azotó los montes y los valles. El día de Todos los Santos amaneció nevado. Abrí el portillo y vi pasar gentes aisladas que se dirigían al cementerio. Algunos llevaban en la mano manojitos de flores malvas y rosadas, flores silvestres que hasta hacía poco tiempo resistían en las praderas altas de la montaña. O geranios rojos, cultivados en macetas de lata, en un rincón abrigado del portal. Las campanas tocaron a muerto.

María se fue a la Iglesia con una vela. «Valdrá más que las flores», murmuró. Cerró la puerta al salir y desde fuera me dijo:

—Quítese de ahí que va a coger un pasmo.

Seguí su consejo y ajusté el portillo. La cocina estaba oscura y sólo las brasas del hogar difundían un leve resplandor, un parpadeo que se apagaba y se encendía al consumirse la leña lentamente.

La amenaza del invierno ya estaba empezando a cumplirse. Se habían acabado los paseos a los bosques cercanos, la suavidad del sol de octubre que bruñe las hojas de los árboles. La primera nevada era el anuncio de muchos días grises, y era también el aislamiento definitivo. A veces, durante meses, ni las cartas llegaban al pueblo, inaccesible para los caballos y los hombres.

La escuela sería mi único recurso. Por entonces, ya empezaba a sentir esa profunda e incomparable plenitud que produce la entrega al propio oficio. Me sumergía en mi trabajo y el trabajo me estimulaba para emprender nuevos caminos. Cada día surgía un nuevo obstáculo y, a la vez, el reto de resolverlo. Los niños avanzaban, vibraban, aprendían. Y yo me sentía enardecida con los resultados de ese aprendizaje que era al mismo tiempo el mío.

Nunca he vuelto a sentir con mayor intensidad el valor de lo que estaba haciendo. Era consciente de que podía llenar mi vida sólo con mi escuela. Cerraba la puerta tras de mí al entrar en ella cada día. Y las miradas de los niños, las sonrisas, la atención contenida, la avidez que mostraban por los nuevos descubrimientos que juntos íbamos a hacer, me trastornaban, me embriagaban. Leíamos, contábamos, jugábamos, pintábamos, nos asomábamos a mundos lejanos en el tiempo y el espacio; nos sumergíamos en mundos diminutos y cercanos que encerraban milagros naturales. Tras el descubrimiento de América, corría veloz el descubrimiento de la circulación de la sangre. Tras la solución de un problema aritmético, la reflexión sobre un poema. Y luego, por qué brillan las estrellas, por qué el hombre ha conseguido volar. Por qué, por qué…

Yo me decía: No puede existir dedicación más hermosa que ésta. Compartir con los niños lo que yo sabía, despertar en ellos el deseo de averiguar por su cuenta las causas de los fenómenos, las razones de los hechos históricos. Ése era el milagro de una profesión que estaba empezando a vivir y que me mantenía contenta a pesar de la nieve y la cocina oscura, a pesar de lo poco que aparentemente me daban y lo mucho que yo tenía que dar. O quizás por eso mismo. Una exaltación juvenil me trastornaba y un aura de heroína me rodeaba ante mis ojos. Tenía que pasar mucho tiempo hasta que yo me diera cuenta de que lo que me daban los niños valía más que todo lo que ellos recibían de mí.

El molino de Genaro estaba abajo, a la orilla del río. Una casita blanca unida a la aceña, que se veía desde la escuela. Un día pregunté al niño: «¿De dónde sacáis el trigo?».

—Del mercado del valle —me contestó—. El trigo se compra a los del llano y se cambia por cosas de madera que hacemos en el invierno. Venga usted al molino y mi padre se lo explica.

No me explicó mucho, pero la visita tuvo otro interés para mí. Al ver la casa de Genaro y al conocer al padre pude imaginar mejor lo que debía de ser su vida.

En la única pieza habitable había un camastro, una mesa y un escaño. Allí vivían los dos hombres, solos desde la muerte de la madre.

Genaro me quería obsequiar. Trajo un puñadito de arándanos y me los puso delante para que los probara.

—Los cojo en la braña del Oso cuando voy con las cabras…

El padre me pareció reservado, huraño. El niño parecía orgulloso de él, satisfecho de la facilidad con que cargaba los sacos de trigo.

—Puede con mucho peso —me dijo.

Había algo en Genaro que me había chocado desde el principio. En medio de la torpeza de expresión que mostraban mis alumnos sólo él hablaba con cierta fluidez. Conocía los nombres de las cosas, tenía un vocabulario aceptable, discurría con rapidez y agudeza y sabía contar historias.

«En este pueblo», me encontré reflexionando, «sólo se puede conversar con Genaro y con don Wenceslao».

La asociación de los dos personajes me reveló un descubrimiento que me pareció fascinante. Los dos tenían la misma mirada, parecida manera de adelantar la barbilla para escuchar, la misma sonrisa.

«Le imita», me dije. «Ha comprendido que don Wenceslao es la única persona digna de ser imitada...»

—Al que no sale a la raza se le mata —fue el críptico comentario de María cuando le confié mi impresión. Solía buscar ocasiones de dirigirme a ella para tratar de romper su lejanía.

Yo estaba cogiendo el puchero de leche que se calentaba colgado de la plegancia.

—No entiendo —dije. Y ella:

—A buen entendedor...

Casi dejo caer el tazón al suelo. Las preguntas se me agolpaban en los labios: «Pero ¿cómo, cuándo, dónde?...».

—Ella trabajaba para él. Él era un hombrón todavía. Todavía no se había sentado en el sillón que ahí se quedó clavado cuando ella murió y no se ha vuelto a levantar.

—¿Y el marido, el padre de Genaro?

—Se quedó con el niño. Tenía cuatro años cuando murió ella pero ni oír de dárselo al viejo. El viejo fue al molino y se encerraron a hablar y el otro no sé qué le diría pero el niño se quedó con él. Y con él sigue...

—¿Lo sabe Genaro? —pregunté.

María se encogió de hombros, agotada por el inusitado esfuerzo que había hecho. Se veía que la historia había despertado en ella la pasión de unos sucesos que conmovieron la vida del pueblo.

—Si no lo sabe, se enterará cuando él se muera y herede. Porque eso sí, la herencia no se la quita nadie, según dicen…

Habían pasado unos días desde mi visita al molino cuando me mandó recado el Alcalde: que fuera a su casa que estaba allí una señora Maestra que me quería conocer.

Entre perpleja y curiosa, me dirigí al Ayuntamiento, una habitación con silla, mesa y una carpeta con pocos papeles. El resto era la vivienda del Alcalde.

Atravesé el portal oscuro y llamé con los nudillos al portón. Abrió una vieja y me condujo sin palabras hasta el fondo de la casa. Allí, en un comedor húmedo, en torno a una mesa con restos de comida, estaban sentados el Alcalde y su mujer y otra persona, una mancha negra y gris, un cuerpo menudo vestido de luto y una cabeza con el pelo corto manchado de canas.

Me quedé de pie, esperando, pero nadie me invitó a sentarme.

—Aquí la tienes, Elisa, ésta es la nueva maestra.

Elisa me miró con sus ojillos sepultados bajo una maraña de cejas blanquinegras.

—Hola, muchacha —dijo—, ¿qué tal te va por el pueblo?

—Bien —contesté.

—Al principio te será difícil pero ya te irás acostumbrando. Los chicos son como animales pero hay que domarles. Y cuando no respondan, palo…

No contesté. Seguían sin invitarme a tomar asiento y me contemplaban con indiferencia, como si no acabaran

43

de decidirse a tenerme en cuenta pero tampoco a despedirme.

—Mi cuñada Elisa acaba de jubilarse y ha venido a visitarnos. Ésta sí que ha sido buena maestra. En la escuela que estaba los chicos no se le movían. Y menudo respeto le tenían…

Era el Alcalde quien hablaba y me dirigió una media sonrisa socarrona e impertinente de modo que no dudara que la alabanza de la vieja cuñada iba dirigida a criticarme a mí.

—Si no me necesitan… —dije haciendo ademán de marcharme.

En aquel momento se oyeron voces fuera y la vieja que me había abierto la puerta apareció en el umbral. A sus espaldas se dibujaba la figura de una mujer con un bulto en los brazos.

—Se me murió la niña —gritó—. Se me murió —repitió dirigiéndose al Alcalde— y aquí la tienes. No me quisiste avisar al médico y ahora la entierras tú…

Pero no soltaba el cuerpo inerte, lo mantenía agarrado con fuerza ante los tres comensales, que no se movieron ni articularon palabra.

La mujer me vio y se dirigió a mí con el mismo tono violento y agudo.

—Ya no me tomaba la leche. Parecía que sí, pero en seguida volvió a amurriarse…

La cogí del brazo suavemente, la fui sacando afuera. Yo no quería mirar el cuerpo sin vida de la niña. La mujer insistió:

—Ya no tomaba la leche. Parecía que sí, al principio, pero luego…

La boca sin dientes de la madre se quedó abierta, sin emitir un sonido más. Me miraba en silencio, dolorida, y me pareció que me hacía una pregunta muda: ¿De qué me han servido tus consejos? Y, además, ¿quién eres tú para dar consejos?

De una casa cercana salió una mujer que se acercó a nosotras.

Un poco más lejos apareció otra y ya éramos un pequeño cortejo tras la madre con su liviana carga.

Al llegar a casa, María comentó:

—Ya le dije que ha enterrado a tres. Y ahora ésta. Pero seguirá teniendo más…

A María le enseñé a hacer diferentes clases de punto: liso, con dibujos, con calados. Tenía unas manos torpes. En los dedos ásperos se le enganchaba la lana retorcida, hilada por ella en las veladas del invierno. Lana blanca de oveja que utilizaban las mujeres para tejer calcetines, escarpines, chalecos. Pero no sabían tricotar. A los pocos días vinieron dos vecinas, igualmente desmañadas y entusiastas, y a medida que los días disminuían y las tardes sombrías del otoño se desplomaban sobre el pueblo, mi pequeño grupo de alumnas aumentaba: «Enseñe a las niñas», me decían, «que esto les va a valer más que las letras». A Lucas tuve que encargarle varias agujas porque con las mías no era bastante. Y una tarde a la semana, en la escuela, inicié a las niñas mayores con una advertencia previa.

—Las letras y los números y las lecciones que hacemos son más importantes, pero también tenéis que saber estas cosas.

Los niños también querían aprender y no tuve inconveniente en enseñarles. A las pocas sesiones ya me llegó a través de Genaro la noticia: «Que dicen en la taberna que usted quiere hacer a los chicos, chicas, para que pierdan la fuerza y no trabajen en cosas de hombres…».

Fueron desapareciendo los muchachos y me quedé sólo con mis niñas. Aproveché la ocasión para hacerles ver que, a pesar de todo lo que oyeran, el hombre y la mujer no son diferentes por la inteligencia ni la habilidad, sino por la fisiología. Se me quedaban mirando con asombro convencidas como estaban de la absoluta superioridad de sus hombres, que lo mismo cazaban jabalíes, que arrancaban los árboles a hachazos. La fuerza física es una cosa, les expliqué. Pero hay otra fuerza que es la que nos hace discurrir y resolver situaciones difíciles…

Estoy convencida de que lo entendían. Y aprendí una cosa más: que tan importantes eran esas lecciones como las otras, las oficiales, las obligadas por principio, porque todas guardaban relación entre sí, si pretendíamos educar de verdad a aquellos hombres y mujeres en ciernes.

A través de Genaro, don Wenceslao me enviaba constantemente pequeños obsequios para la escuela. El niño debía de contarle nuestras luchas con la falta de material escolar, nuestro ingenio para resolver esas carencias.

De vez en cuando me invitaba a merendar. Raimunda nos servía chocolate y rebanadas de pan con mantequilla y la charla transcurría deliciosa hasta que se acercaba la hora de cenar. Yo me retiraba temprano porque temía las reticencias del Alcalde y los vecinos respecto a mi estancia en la casa de un hombre soltero.

Como yo era muy joven, me parecía que el señor de la Casona era un verdadero anciano. Pero a pesar del sillón y su permanente afincamiento en él, don Wenceslao pasaba poco de los sesenta años. «Ya sé que su padre será más joven», me decía Raimunda, «pero si usted quisiera, hija, si usted quisiera, se quedaba de señora en esta casa. Déjese de chiquillos y de escuelas. De señora la quería ver yo aquí…».

Yo me reía de los sueños de Raimunda que me parecían disparates de su rústica imaginación.

Un día que el señor se retiró pronto, Raimunda me retuvo y me contó su historia que yo apenas había entresacado de nuestras conversaciones.

Era así: don Wenceslao venía de una familia del pueblo. Señores de horca y cuchillo, decía Raimunda, de cuando el pueblo era más importante que ahora y había ganados para vender en toda Castilla. «Si serían importantes que aquí ha dormido un Obispo en tiempos de la madre de don Wenceslao. El padre se había ido a Guinea llevado por no sé qué pariente lejano que tenía allí negocios y plantaciones de café. Cayó enfermo y no volvía y la madre llora que te llora y hasta que no mandó al hijo no paró. A don Wenceslao le había tenido interno en la capital y bien que lo había educado. Pues a Guinea lo mandó y cuando murió el padre, allá se quedó más años de los que ella pensaba, que no regresó hasta la muerte de ella. Para enterrarla vino y luego se quedó en la casa como perro sin amo, sin que nadie supiera si se volvía a las tierras aquellas o se quedaba aquí administrando el capital que tenía, que no era poco. Sólo en leña», se admiraba Raimunda, «los árboles que tiene esa familia... Y mira por dónde se metió por medio la madre de Genaro, que era joven y guapa y mal casada porque con el marido no tenía hijos. Y se mete a servir aquí, que andaba aburrida en el molino y con poco que hacer... Y vino lo que vino, y pasó lo que pasó, aunque nadie lo puede demostrar... Pero usted dirá. De la noche a la mañana, ella aparece con la tripa y don Wenceslao más meloso que nadie con ella, que no trabaje, que venga otra y así fue el entrar yo por esa puerta...

»Cuando yo llegué, la madre de Genaro se fue con el marido, arrepentida o no, pero temerosa desde luego, porque para mí que el marido le dijo o te vienes o te mato. Y ella se fue como si todo hubiera sido de ley y como si al final su hombre hubiera cumplido y eso es imposible porque uno de aquí que le conoce bien y que hizo con él la mili dice que se quedó inútil de una cornada que le dio en sus partes un toro cuando era zagal...».

A veces don Wenceslao me contaba historias de Guinea. Me hablaba de aquellas tierras calurosas y un eco de melancolía le arrastraba la voz hacia selvas, mares, cielos redondos colmados de estrellas...

—Qué tierra aquella, Gabriela. Si algún día, que raro sería, pero si algún día cae por allí, recuerde la hacienda de los Peñalba en el continente, atravesando una buena parte del bosque Fang, allá tiene su casa que la lleva mi buen Francisco Gómez, mi encargado y amigo...

Sólo un día renegó de Guinea. Estábamos charlando tranquilamente con nuestro chocolate por medio y una fuerte sacudida le conmovió. Se le cambió la cara que se le puso pálida y luego empezó a tiritar. Daba diente con diente y me dijo: «Llame a Raimunda, hija mía». Ella entró y me hizo una señal como de que me fuera y me explicó luego: «Es el ataque de las fiebres esas que trajo de África. Se pone mal y mal hasta que le hacen efecto sus medicamentos, pero eso le envejece y le asusta, el ataque de la fiebre…».

La escuela estaba limpia y arreglada. Además de pintar, habíamos colocado, en las cuatro esquinas, cuatro arbolitos del monte en unos cubos. Por la mañana los sacábamos al sol. Cuando empezaba a hacer frío los encerrábamos en la escuela y yo aprovechaba para explicarles la vida del reino vegetal, de la que ellos tenían conocimientos tan directos y tan poco científicos.

Para nuestras clases de trabajos manuales llegaban con las cosas más inesperadas. Trozos de soga, clavos, cortezas de árbol blandas para tallar con sus navajas, juncos del río con los que hacer cestos. Me enseñaban y les enseñaba y el intercambio de habilidades se convertía en un juego.

Decorábamos la clase con sus dibujos, con sus maderas, con los costureros que las niñas bordaban en el lienzo tejido por sus madres.

Inicié lo que apenas me atrevía a llamar una biblioteca. Sobre un banco íbamos colocando los libros y periódicos que podíamos conseguir. Pocos, muy pocos, pero ya tenían su lugar especial en la clase. Me conmovía profundamente cuando uno de mis niños decía: «¿Puedo usar la biblioteca?». Y le veía revisar ávidamente el montoncito de papel impreso que era un tesoro y sobre todo un símbolo de otros tesoros lejanos y difíciles de alcanzar.

Alguna tarde los llevaba de excursión. Pasado el pueblo, en lo alto de la peña más cercana había una pradera y desde allí se veía la cadena de montañas que se perdían en un horizonte neblinoso. Parecía imposible salir de aquella cordillera. Desde allí, desde lo alto, se hacía más evidente nuestro aislamiento. Al otro lado, la meseta prometía caminos despejados pero nosotros vivíamos encerrados en el circo de montañas, prisioneros de la geografía y la miseria.

No me marché del pueblo por cobardía ni por cansancio.

Fue un corte brusco, una decisión repentina tomada por mi padre cuando vino a verme y me encontró agotada, convaleciente de lo que debió de ser una pulmonía, aunque nadie la hubiera diagnosticado.

Todo empezó después de las vacaciones de Navidad. Yo regresaba de casa de mis padres y había caído una gran nevada que tenía al pueblo incomunicado. Tocaron a concejo y un grupo de vecinos me fue a rescatar al pueblo grande. Las caballerías pasaban con dificultad por las hoces, así que sólo llevaron una para mí y los hombres marchaban unos detrás y otros delante del animal, protegiéndome y cuidando de que no nos despeñáramos. Nos costó horas llegar y al alcanzar el pueblo sólo se veían columnitas de humo porque las casas habían desaparecido cubiertas por la fuerte nevada. Entramos por el tejado a la casa de María y bajamos hasta el primer piso por unos escalones hechos en la nieve casi helada. Todas las casas estaban sometidas al mismo enterramiento invernal.

Al día siguiente, para ir a la escuela, los niños hicieron una cadena, cogidos de la mano, y tiraban de mí como un juego en el que todos patinábamos. Me habían regalado pieles de rebeco completas para mi cuarto y tiras de otras pieles de animales pequeños para que forrara con ellas las abarcas. Genaro me esperaba mustio y callado. «¿Qué pasa?», le pregunté. Y él: «Mi padre, que está malo. Fue al monte y cayó rodando y se mancó la pierna y la espalda».

María regateaba el carburo. Me metía en la cama y tiritaba de frío aunque entraba forrada de jerséis de lana gruesa, con escarpines y una piedra envuelta en trapos que había calentado a la lumbre.

Una noche que tembló el techo y las vigas de roble gimieron, creí que había llegado el fin, que nos hundiríamos sepultados en la nieve. Pero no fue así. Habían llegado las lluvias —agua de Galicia, sentenció María—; y la nieve se fue deshaciendo aunque quedaban neveros sólidos en la umbría de la montaña.

Me fui a visitar a Genaro que no venía a la escuela ocupado en cuidar al padre y atender al molino y al ganado.

Encontré al niño silencioso y remoto, como si se hubiera alejado de mí, como si estuviera viviendo una experiencia no compartida con nadie. Esta vez no me ofreció arándanos ni asiento. El padre yacía en el camastro y emitió un gruñido de agradecimiento. Me fui en seguida y Genaro se quedó en la puerta del molino. Me vio trepar torpemente pero no acudió en mi ayuda.

Al llegar a casa sentí que tenía fiebre. Yo creo que aquello venía de antes, del día de mi llegada y el recorrido de horas a caballo, y entre la nieve. María me llevó a la cama leche caliente con miel y como tosía me puso cataplasmas y ungüentos que me abrasaron la piel.

Al día siguiente vino Raimunda y me trajo coñac «de parte del amo». El coñac me hizo sentirme estimulada y fuerte y, por un momento, entre la fiebre y el alcohol me creí curada. Pero no fue así. La fiebre cada vez era más alta y pasé un tiempo, nunca sabré cuánto, medio inconsciente e incorporada a medias en la cama para no ahogarme.

El primer día que tuve fuerzas para levantarme, cuando le anunciaba a María que pronto volvería, muy abrigada, a la escuela, se abrió la puerta y apareció mi padre avisado por no sé quién.

—Ya hablé con el Alcalde —me dijo.

Y me obligó a seguirle bien abrigada, sí, pero no a la escuela, sino al pueblo mayor desde donde regresaríamos a casa.

No me despedí de Genaro ni de don Wenceslao. Sólo de María que se quedó a la puerta de su casa, mientras Lucas se colocaba a un lado y mi padre a otro del caballo que me transportaba. Por las últimas revueltas de la calleja aparecieron niños. Me miraban marchar pero ninguno dijo una palabra. Yo les decía adiós con la mano. Tan débil estaba que apenas podía sostenerme en la grupa. La maleta sujeta a mis espaldas me servía de apoyo y, también, se me clavaba en las costillas a cada paso del animal. La convalecencia fue larga. El médico me tenía sometida a un reposo exagerado. «Pero hay que evitar la tuberculosis, porque ya sabe usted, usted no ignora», le decía a mi padre, «que la tuberculosis es la muerte inevitable…».

Cuando me dieron por curada ya era verano. En septiembre empecé a preparar oposiciones y durante un curso todo fue estudiar y estudiar bajo el cuidado amoroso y la vigilancia previsora de mis padres. Volví a Oviedo cuando llegó el momento. Me examiné y lo mismo que un día apareció mi nombre en la lista de final de carrera, también ahora lo vi brillar en otra lista: Gabriela López Pardo, Maestra en propiedad. Habían pasado pocos años entre las dos listas. Pero ya había llegado el momento de elegir, con todos los derechos, mi escuela.

en Guinea Ecuatorial

Los niños eran todos negros. La mía era la escuela nacional y gratuita y sólo los negros la frecuentaban. Todos dijeron que estaba loca cuando la elegí. Yo tenía veinticuatro años y afán de aventuras. Si fuera hombre… pensaba. Un hombre es libre. Pero yo era mujer y estaba atada por mi juventud, por mis padres, por la falta de dinero, por la época. Era el año 1928. En la oposición había sacado un excelente número: la tercera entre cincuenta. Miré los mapas y el punto más lejano de la tierra al que podía llevarme mi carrera estaba allí, en la línea del Ecuador. Una franja pequeñísima de África, unas islas, un nombre que cruzaba sobre el mar y se adentraba en el continente: Guinea Ecuatorial. Aquél sería mi destino. Pensé en don Wenceslao: «Si algún día…», me había dicho y en seguida había rectificado: «Pero usted nunca va a caer por allí». No puedo decir que me influyera el recuerdo del viejo amigo. Hasta su Guinea me parecía distinta de la que yo estaba eligiendo. Yo no iba a negociar ni a hacer fortuna. Yo iba a enseñar y al mismo tiempo a aprender, a buscar paisajes nuevos, nuevas experiencias, en un país que además de exótico era nuestro. Así que lo arreglé todo, desoí los

54

consejos y los llantos familiares y me bajé hasta Cádiz para embarcar. Cádiz era el extremo sur, el final de mi mundo. De Cádiz arranqué un día de septiembre y atrás dejaba límites y ataduras. Y el recuerdo de una escuela perdida entre montañas.

Cuando el barco zarpó yo veía la tierra alejarse desde el puente. No quería pensar en lo que abandonaba. Necesitaba la fuerza de los emigrantes, el valor de los conquistadores. Recordé el último consejo de mi padre, arrancado de una de sus lecturas:

«La aventura puede ser loca, el aventurero no». Y un respingo de emoción me asaltó mientras la costa española se desdibujaba a lo lejos.

Con los embites de las olas, todo el barco crujía. Era un barco viejo y parecía que iba a partirse en dos a cada instante. Al tercer día estalló una tormenta que nos mantuvo encerrados durante doce horas en los camarotes, reducidos y sofocantes. En el mío había plazas para cuatro, pero íbamos sólo tres: la mujer de un empleado de telégrafos de Santa Isabel, que se pasaba el tiempo maldiciendo; su hija, una muchacha de mi edad que vomitaba a todas horas, y yo, que sufría y aguantaba con paciencia las inclemencias de la navegación.

Macilentos y ajados avistamos un día la tierra de Guinea. Ya escaseaba el agua y la comida disminuía por momentos en cantidad y calidad. El calor nos quitaba el apetito y nadie hubiera osado protestar, desmadejados como andábamos todos, del puente al camarote; del salón aliviado con las hélices del ventilador que colgaba del techo, al comedor por el que discurrían sudorosos los camareros repartiendo té y café en pesados recipientes.

El día antes de llegar a Santa Isabel me llamaron de primera y me entregaron un telegrama de la Delegación anunciándome que me esperaban en el muelle.

Al clarear el día siguiente, vimos la costa, con grandes elevaciones, pero todavía faltaban unas horas para divisar Santa Isabel.

Recuerdo la llegada. El puerto. Y a lo lejos el rumor de las voces que anunciaban el barco. El paso por el puente balanceante que me llevaba a tierra firme. La espera de mi baúl que no llegaba nunca. Me rodeaban mozos, negros harapientos que ofrecían sus servicios en un defectuoso castellano: Hola señora, hola mujer. Apareció un funcionario blanco y lacónico: «Señorita Gabriela López; sí, de la Delegación, sí, la acompaño, vámonos pronto…».

Y luego la noche de insomnio en un Hotel de indescriptible suciedad. El calor, la gasa rota del mosquitero, el obsesivo girar de las aspas sobre mi cabeza, ruidos indescifrables arriba y abajo, la puerta sin cerrojo ni llave, un lavabo roto con un jarrón desportillado como único suministro de agua.

Al fin el nuevo día y el mismo funcionario que me espera en el vestíbulo del Hotel y me conduce al puerto y al barco, alemán, que iba a llevarme a la última etapa de mi viaje.

Apoyada en la cubierta, veía los contornos montañosos de la isla de Fernando Poo, los torrentes que se deslizan desde lo alto hasta el mar, la exuberancia forestal de la costa.

A mi lado se había instalado un joven negro. Apoyaba, como yo, los brazos en la barandilla y miraba en silencio la costa. El cielo estaba gris azulado, el aire era sofocante pero yo me resistía a retirarme a la sombra no menos calurosa.

—Hermosa isla —dijo el hombre sin dirigirse a mí, pero estábamos solos y tuve que darme por aludida.

—Muy hermosa —contesté.

Me miró de frente y sonrió con una sonrisa blanquísima que iluminó su rostro oscuro.

Su español era suave y melodioso. Hablaba como una persona educada. Su lenguaje guardaba relación con el traje blanco, de corte europeo, y con su forma especial, reservada y cordial al mismo tiempo, de dirigirse a mí.

—Soy médico —me dijo— y regreso a mi hospital. El continente es muy distinto a esto —y señalaba la isla brumosa y cercana. Cuando supo la razón de mi viaje volvió a sonreír—. La necesitamos —afirmó—. Necesitamos medicinas y escuelas. Pero sólo nos mandan hombres de negocios... Los niños la estarán esperando.

Me esperaban. Todos eran negros y sonrieron. Sus sonrisas me devolvieron la esperanza. Aquélla era mi primera escuela en propiedad. Nunca la olvidaré. La tengo aquí, metida en la cabeza. Una choza de calabó, como todas las del poblado, con el techo de hojas de nipa entrelazadas sobre el armazón de bambú. Estaba un poco en alto, rodeada de un bosquecillo ralo de palmeras. Desde allí se veía el mar. Los niños negros me miraban sonrientes y desde ese primer momento supe que no me había equivocado.

En noches de verano, cuando el calor no me deja dormir, cierro los ojos y me veo allí, bajo el techo de palma entretejida, tumbada en el chinchorro que se mueve despacio esperando la caricia del mar en la amanecida. Manuel se empeña en mover un abanico sobre mí. «Quieto, Manuel», le digo, «vete a dormir». Se arrastra hasta la arena de la playa, desaparece en la pendiente que desciende brusca, hasta el agua. «Báñate», me dice todos los días, «báñate y saldrás del calor». Manuel, mi criado, me cuida y pretende calmar, a su manera, mi desazón. Agua, de la barrica, bien fresquita… un poquito de coco…

Pero el calor me aplasta. Un baño de vapor, una opresión en los pulmones que se resisten a filtrar el oxígeno.

Mi casa era como todas: una cama de bambú, sin ropas ni almohada; un banco y una mesa también de bambú y canastos distribuidos por la choza en la que guardaba mi ropa y mis objetos personales.

Pero mi lugar preferido era el chinchorro que colgaba a la entrada, bajo la sombra del tejado, que avanza y sobresale como un pequeño toldo vegetal.

Empezábamos temprano. El frescor de la hora primerísima hacía soportable respirar. En seguida el aire se volvía denso, pastoso. Yo trataba de olvidar la dureza del clima, el traje de hilo empapado en sudor, la pesadez de mi cabeza. Y trabajaba.

Ningún niño sabía español suficiente para seguir una explicación. Yo dibujaba en la pizarra las cosas con sus nombres e intentaba que ellos reconocieran las palabras cuando borraba los dibujos. Una pizarra grisácea y desconchada, apoyada en el suelo, era la única ayuda. Más adelante, de mi baúl salieron libros, cuadernos, lapiceros y mapas. Retrocedían. Era su manera de mostrar extrañeza y precaución. Luego se iban acercando y tocaban los nuevos objetos para comprobar su inocuidad.

Aferraban los lapiceros con sus manos oscuras, las uñas rotas, las palmas rosadas y sucias. La aparición del color en el papel al presionar la mina del lápiz producía en ellos exclamaciones de excitación. «Palmera verde», decía yo. Y señalaba la palmera y el color correspondiente. Comprendían rápidamente. Trataban de reproducir la imagen del árbol desmelenado, verde gris, verde tostado, verde. Palmera verde, mar azul, sol amarillo, sangre roja, blancos los dientes y la carne tersa del coco. Aprendían.

Los días transcurrían bajo el peso del calor que me dejaba exhausta y me llevaba al final de la jornada hasta la hamaca de palmito que flotaba en el porche de mi cabaña.

Cantábamos. Yo buscaba en el repertorio aprendido en la infancia y ampliado más tarde en la Normal. A través de las canciones trataba de explicarles el paso de las estaciones, el brillo de la nieve en el invierno, el largo viaje hacia la primavera que estalla un día en hierba y flores, el otoño que dora y enrojece los bosques. Sólo el verano los aproximaba a nosotros y al calor de nuestro sur lejano.

Les enseñaba mis canciones y ellos me enseñaban las suyas.

Bailaban y cantaban, atrás y adelante, adelante y atrás, con vigoroso ritmo. Me enseñaban los nombres de sus árboles, calabó, ceiba, ukola; de sus comidas, ñamé, malanga, yuca; de sus animales y sus enseres.

Pero yo no estaba allí para aprender su idioma, sino para enseñarles el mío que les correspondía por derecho propio, aunque todavía lo ignorasen.

He contado muchas veces los recuerdos que me quedan de Guinea. Tantas, que llego a pensar si los transformo y los complico o, por el contrario, los simplifico demasiado. Cuando vivimos sin testigos que nos ayuden a recordar es difícil ser un buen notario. Levantamos actas confusas o contradictorias, según el poso que el tiempo haya dejado en los recodos de la memoria.

Por eso, cada vez que la mía regresa a aquella tierra, me pregunto si reconstruyo de verdad los sucesos, si registro de modo fiable las sensaciones; es decir, si recuerdo o fabulo. He llegado a incorporar a mi historia las historias de Guinea. Parte de lo que fui después empezó a nacer allí. Quizás altero anécdotas, fechas, nombres, pero algo más profundo permanece grabado en la médula del sentimiento. Algo que acaba echando raíces y ramas y se enmaraña a medida que el calor del recuerdo lo hace crecer.

Cómo olvidar la lucha por la supervivencia de unos pueblos asediados por el hambre, la enfermedad, el miedo. Cómo olvidar a los niños.

Mis esfuerzos por enseñarles ciencias o geografía o historia chocaban con una incomprensión que iba más allá del idioma. Eran despiertos pero no podían comprender la Prehistoria. ¿Acaso no vivían en ella? ¿Hasta qué punto les añadiría felicidad el descubrimiento de los avances técnicos que invadían el mundo civilizado? Rachas de pesimismo me embargaban. Me parecía que había un desajuste entre los programas oficiales que hablaban de una cultura ajena y la necesidad de aprender cosas relacionadas con su medio ambiente, sus orígenes, su propia cultura. Yo trataba de armonizar ambos caminos: el que les llevaría al conocimiento de los hallazgos culturales del hombre y aquel otro que les ayudaría a conocerse mejor como pueblo y les prepararía para trabajar por su país.

De todo esto tuve ocasión de hablar muchas veces con una persona que había entrado de modo casual en mi vida desde el día que llegué: Emile, el médico que conocí en el barco y que se convirtió en mi amigo, mi guía y mi interlocutor en aquella isla fascinante y angustiosa.

En seguida pude observar que había muy pocas mujeres blancas en aquella pequeña ciudad, un núcleo urbano que era el centro de los poblados cercanos.

De modo que mi presencia no pasaba desapercibida. Mi traje de hilo crudo, mi sombrilla, mi manera de andar me identificaban desde lejos. Ahí va la maestra, debían de decir en su idioma los negros. Y los blancos que llegaban a hacer compras desde sus fincas. No era difícil reconocerme y no fue raro que me encontrase frente a mi compañero del barco.

—¿Qué tal su escuela? —me preguntó sonriente, con aquella sonrisa distendida y anchísima.

—Muy bien —le dije.

Pero debió de observar mi cara de cansancio, mis ojeras, mi delgadez.

El calor era tan intenso que no se podía estar de pie en la calle, así que me indicó con un gesto un edificio cuyo porche era soportado por cuatro columnas.

—Pase. Trabajo aquí.

Era un centro sanitario y en la oficina de entrada había dos hombres blancos ante una mesa llena de papeles que el ventilador desordenaba.

—Hola —dijo uno de los hombres.

Y Emile contestó:

—Buenos días, doctor.

Me hizo sentar y quiso saber si había resuelto de la mejor manera mi alojamiento y mi comida.

El segundo hombre le miró con una sonrisa torcida.

—Mal, muy mal —dijo—. Se niega a venir al «rancho» con nosotros. Se queda en el poblado…

Era el Administrador del Hospital, uno de los personajes de quien me habían hablado al llegar. Emile estaba sorprendido.

—No sabía nada porque llevo muchos días por las plantaciones. Pero mañana pasaré por su escuela y le diré si puede o no seguir viviendo allí.

Al día siguiente me visitó como había prometido. Habló con los niños en aquella lengua incomprensible para mí, les miró los ojos y los dientes y buscó ganglios inflamados.

—Están muy limpios —intervine yo—. Son limpios —rectifiqué. Y era verdad. Resplandecían cuando llegaban a la escuela. En contraste con otras facetas de su ignorancia, tenían una tendencia natural a la limpieza que yo reforzaba con mis consejos de higiene. Se lo explicaba a Emile mientras él visitaba mi choza y parecía que no me escuchaba.

—Imposible que siga usted aquí —me dijo seriamente, casi ofendido—. No sé cómo se lo han permitido. No crea que ha venido a cumplir una misión sobrenatural. Usted viene a trabajar y necesita vivir en condiciones dignas…

Traté de decirle que me parecía bien vivir como mis niños.

—De ninguna manera —replicó—, usted carece de defensas para habitar un medio tan ajeno al suyo. Y necesita mucha salud para llevar adelante su tarea…

De forma que al poco tiempo me vi instalada donde al principio me habían propuesto: en una habitación de una casa colonial con ventanas protegidas por mosquiteros, olor a desinfectante, ventiladores por todas partes y, en la planta baja, el comedor colectivo al que acudían los funcionarios de la metrópoli que también vivían allí.

—Menos exótico —me dijo el primer día el Administrador del Hospital— pero más conveniente…

Me miraba y sonreía, entre burlón y suficiente. Me pareció que mi presencia allí le disgustaba aunque era él quien la había propiciado.

Me limité a asentir y me retiré a mi habitación.

Cuando llegaron las vacaciones de Navidad, Emile me invitó a acompañarle a sus inspecciones sanitarias: las fincas estaban cerca de la ciudad pero generalmente había que llegar a ellas en bote porque los caminos eran malos y difíciles. Las plantaciones de cacao se extienden a lo largo de kilómetros. Al internarse por ellas se va siempre a la sombra de las grandes hojas del cacaotero y no se ve el horizonte más allá de unos pocos metros.

Entre los cacaoteros también hay abundantes platanales, cocoteros, palmas de aceite, mangos y árboles maderables de gran tamaño:

—La vida del bracero es muy dura —me explicó Emile—. Pero lo más grave es que sean atrapados por la enfermedad del sueño. Por eso les tomamos sangre cada tres meses para analizarla y controlar si han sido picados por la mosca tsé-tsé. Además, necesitan la tarjeta de sanidad para seguir trabajando porque es una enfermedad muy contagiosa.

Me presentaba a los dueños o administradores de las plantaciones, todos europeos, y ellos, entre amables y sorprendidos, me besaban la mano o me la apretaban con fuerza.

Al regresar el primer día de nuestra excursión sanitaria, Emile despidió al practicante negro que nos había acompañado y me invitó a visitar su casa. Vivía con su madre, cerca del Hospital. La madre me recibió con extrañeza y miró a su hijo con un silencioso reproche. Él me invitó a sentarme y me ofreció un refresco frutal y azucarado.

—Dentro de pocos días —me dijo—, será vino, pero aún es sólo una bebida refrescante…

Me enseñó sus libros, una colección de revistas de viajes y el periódico *El Sol* que recibía de la Península.

Charlamos bajo la mirada severa de la madre y el zumbido del ventilador que giraba en el techo.

—Mi madre no cree en los blancos. Desconfía de ellos —aclaró al despedirnos.

Nunca antes me había detenido a analizar el significado de la palabra racismo, pero no tardaría mucho tiempo en comprender que la reacción de la madre de mi amigo no era un hecho aislado y caprichoso sino la consecuencia de una realidad ampliamente extendida.

El párroco me había hecho llamar y acudí a visitarle.

—Hija mía —me dijo—, usted sabe que estos negros practican religiones salvajes. Nuestra misión ha sido siempre cristianizarlos. Hoy están muchos bautizados, sobre todo los que viven en las ciudades y sus cercanías, pero queda mucho por hacer. Ustedes, los maestros, tienen que ayudarnos...

Se me quejó después de la persistencia de los negros en sus antiguas creencias y de la mezcla ingenua de los ritos cristianos con los suyos. Me pedía que, cercana la Navidad, acudiese a la Iglesia con los niños a rezar y a cantar villancicos. En un intento de convivencia tranquila, acepté su sugerencia, aunque estaba descansando en mis vacaciones y no veía clara mi obligación misionera.

La noche del 24 asistí a la Misa del Gallo y me coloqué detrás de los niños que habían aprendido varios villancicos con facilidad y bastante entusiasmo. Cuando terminó el oficio religioso salí a la calle y en la oscuridad me tropecé con Emile. Me saludó efusivo y a continuación me invitó a seguirle.

—Quiero que vea nuestra verdadera fiesta...

Por toda la ciudad, recogida en torno a la bahía, resonaba la música de los negros. Los cánticos, los golpes obsesivos de los bongós, los bailes enfervorizados.

Sólo ellos habitaban las calles. Seguían la fiesta comenzada en la Iglesia y la transformaban en algo exclusivamente suyo que brotaba al calor de la música y del alcohol fermentado de la palma. Por calles y callejas, el rumor penetraba en las casas de los blancos que celebraban dentro su propio júbilo ritual.

Paseábamos silenciosos cerca del agua, por el puerto donde descansan los barcos y los lanchones, y el frenético fluir de la música nos rodeaba.

—Todo esto es nuestro —dijo Emile—, nos pertenece y nadie puede quitárnoslo, pero nos destruirán si no salimos de la ignorancia y la esclavitud en que vivimos...

Se había puesto triste y cuando me retiré a mi alojamiento, sus palabras volvían una y otra vez a mis oídos. Llevaba viviendo suficiente tiempo en la isla para comprender que sus problemas tenían mal arreglo. Nadie, que yo supiera, estaba interesado en resolverlos y pocos, entre ellos mismos, eran conscientes de las raíces de sus males.

Cuando empujaba la puerta de mi cuarto para entrar en él, una sombra salió de la oscuridad del pasillo. Creí que era Manuel porque la sombra se movía con torpeza y pensé que estaba bajo los efectos de las bebidas de la fiesta.

—Manuel —grité—. Manuel.

Nadie contestó. Entré en mi cuarto y traté de correr el desvencijado cerrojillo que me protegía del exterior. Pero la sombra, de un empujón, abrió la puerta y me echó a un lado.

—Manuel —volví a gritar asustada.

No era Manuel. Su cara desencajada se acercó a la mía y pude distinguir, a la débil luz que se filtraba por la ventana, la cara blanca, las manos blancas, las oscuras palabras del Administrador del Hospital.

Me abrazaba con fuerza y pretendía besarme, me escupía su aliento de borracho, murmurando con furia:

—Si eres buena para el negro también lo serás para mí...

Forcejeé como pude y traté de desembarazarme de él pero no lo conseguí y ya sentía su cuerpo sudoroso sobre el mío cuando pude gritar. Mi grito resonó por encima de la música, la fiesta, la ciudad negra. La puerta se abrió y ahora sí, era Manuel, Manuel que se quedó mudo e inmóvil en el umbral. Pero fue suficiente para que mi agresor reaccionara. Se alejó de mí y de un manotazo lanzó contra la pared a Manuel. Cuando desapareció me tumbé en la cama y me eché a llorar mientras Manuel cerraba la puerta y se retiraba escaleras abajo, respetando mi soledad y mi dolor.

Los blancos vivíamos pendientes de la llegada de los barcos. La correspondencia, los víveres, los objetos de primera necesidad llegaban por mar. Generalmente eran barcos extranjeros: holandeses, ingleses, alemanes. Venían cargados de mercancías para las factorías de los europeos y regresaban cargados de cacao.

«El mejor cacao del mundo», me decía Emile con su eterna sonrisa. Con la Navidad, los barcos y las lanchas que hacían el servicio a Santa Isabel habían depositado en nuestras manos regalos y mensajes de nuestras familias. Mi padre me escribía con frecuencia. Las cartas tardaban quince o veinte días, a veces un mes. Me contaba noticias de nuestro pueblo. Los amigos que enviaban recuerdos, las enfermedades, las bodas de los conocidos.

Rara vez aludía al disgusto de mi madre por mi decisión de marchar a lugar tan lejano.

Yo también escribía a mi padre. Le contaba cómo era la isla y le hacía descripciones minuciosas del mar, la selva, los volcanes apagados. Le enumeraba las plantas que crecían en los huertos familiares. Y los animales domésticos que se mezclaban con las personas en una convivencia ilimitada. Le hablaba mucho de los niños, le contaba mi forma de enseñar, las mil maneras que tenía de ingeniármelas para hacerme entender; los progresos que hacían en nuestro idioma. Le enviaba listas de libros que debía comprarme y el dinero para que los pagara. También les enviaba la mitad de mi sueldo cada mes. Nunca lo rechazaron. Yo sabía que lo necesitaban y la verdad es que a mí me sobraba el dinero, el doble del que se pagaba en la Península.

No le hablé de mi amigo negro, ni del Administrador blanco ni del amargo final de mi Nochebuena.

De esto tampoco quise hablarle con detalle a Emile porque temía su reacción. Pero no pude evitar aludir a ello. Estaba demasiado angustiada para guardar silencio. Así que opté por una solución intermedia y le hablé de un encuentro fortuito en la puerta de mi cuarto, de la borrachera del blanco, de cierta grosería en su actitud conmigo y del mal trato que había dado a Manuel.

Como yo me temía, Emile se puso furioso. Su habitual sonrisa dejó paso a un ceño torvo.

—Estoy seguro —dijo— de que no puede soportar nuestra amistad. Ninguno la aprueba pero él me odia y se niega a aceptar que soy un negro emancipado con un título en la mano…

Me contó entonces cómo su padre había sido protegido por un alto funcionario francés de las Colonias, a quien había salvado la vida en circunstancias que no me aclaró, en la época de los tratados africanos entre Francia y España.

—Yo estudié con los Padres aquí y luego me hice médico en Francia.

Pero nunca renunció a su país. Le brillaban los ojos cuando hablaba de la belleza de su tierra, de la bondad de sus gentes y de las dificultades y miserias por las que atravesaban.

Tardé varios días en volver al «rancho». Tomaba frutas en mi habitación y el fiel Manuel me subía tazas de café a todas horas.

Cuando reanudé las comidas con mis compatriotas advertí en seguida que la actitud de mi agresor hacia el muchacho negro era intolerable. Le zahería con cualquier pretexto, le ponía nervioso con sus gritos y reproches, le pedía servicios que correspondían a su propio criado. Yo evitaba intervenir porque temía que en el fondo él estuviera provocando mi reacción. Los demás ni siquiera se asombraban. Lo que un blanco dijera o hiciera con un negro era asunto de ese blanco. Se encogían de hombros y continuaban con la charla, la comida, la actividad momentáneamente interrumpida.

Mi paciencia se vio premiada. No había pasado una semana cuando el Administrador desapareció de la ciudad.

—Lo han trasladado —me informó Emile—. Lo han trasladado al continente.

Nunca supe si su traslado había sido casual o si en él había intervenido la mano del médico negro, que por esas fechas y a través de sus comentarios me había dado muestras de poseer influencia con personajes importantes de la isla.

Cuando repaso lo vivido se me aparece como una serie de secuencias de una película. Lo que no se comparte no deja huella ni nostalgia. No se siente pesar por el bien perdido en soledad. Tampoco el dolor sufrido a solas sirve de referencia pesarosa.

El tiempo que pasé en Guinea fue un tiempo de soledad. Era un mundo de hombres, la mayoría también solitarios. Un mundo duro de lucha y sacrificio para conseguir el único fin que parecía claro: el dinero. Plantadores, comerciantes, funcionarios, negociantes, todos llegaban a la Colonia dispuestos a regresar con dinero. Esta meta no implicaba necesariamente que los blancos coloniales fueran unos malvados. Pero sí suponía en ellos un comportamiento áspero, poco dado a valorar matices y a aceptar sensiblerías.

Mi trato con la gente era muy limitado y se refería a lo estrictamente profesional. Visitas, invitaciones, todo venía marcado por el carácter oficialista de mi papel y mi puesto en la Colonia.

El párroco me invitó un día, poco después de Navidad, a visitar la Misión, a tres horas de camino de nuestra ciudad. La Misión tenía unas cincuenta internas adultas que vivían con tres monjas y una hermosa Iglesia atendida por un sacerdote. Me cuesta trabajo identificarme con la innegable labor de las monjas. Las internas aprenden oficios; salen de su condición de analfabetas desnutridas y son educadas en la religión católica. Es verdad. Pero ya entonces creía yo más en la justicia que en la caridad. Respetaba la labor de las monjas pero no era mi labor. Mi sueño iba por otros rumbos. Educación, cultura, libertad de acción, de elección, de decisión. Y lo primero de todo, condiciones de vida dignas, alimentos, higiene, sanidad.

—No pides casi nada… —me decía tristemente Emile—. El hambre de África no terminará nunca. África es la víctima del hombre blanco.

No le contradecía pero observé que vivía en una perpetua exaltación. A veces pronunciaba frases amenazadoras cuyo significado último se me escapaba. Cuando le pedía aclaraciones a lo que acababa de decir, se volvía hermético. Me parece que luchaba entre el deseo de contarme algo importante y la reserva exigida por el contenido mismo de lo que me ocultaba.

Los días pasaban y yo adquiría rutinas, costumbres, formas de convivencia. En una palabra, me adaptaba al medio. Me encontraba a mí misma repitiendo actitudes de los blancos de la Colonia. Creo que eran claves de supervivencia que yo imitaba inconscientemente: las comidas convenientes, las ropas convenientes, los refugios según la hora del día, las compras, las medicinas preventivas. Y al mismo tiempo me acercaba despacio a otras claves que parecían regir la vida de mis niños.

Trataba de explicarles el ciclo vital de sus plantas, las consecuencias de su situación geográfica, la importancia del clima, la humedad y el calor. Todo les interesaba y a pesar de su escaso vocabulario daban muestras de entender lo fundamental.

—Éste es un país rico —les decía. Eso no lo entendían. Y yo no encontraba las palabras para transmitirles los conceptos más elementales de economía. «Más adelante», me decía.

—Más adelante —le dije a Emile.

—El día que lo entiendan —me contestó— tendrás que huir de aquí…

En febrero las lluvias arrasaron la escuela. El techo de nipa falló a pesar de su inclinación, a pesar del amplio alero que protegía una zona alrededor del edificio. El agua se filtró con violencia a través de las fibras vegetales y su impetuoso fragor me impedía oír nuestras propias voces. Una tabla mal ajustada se vino abajo y arrastró toda la estructura del tejado. Los niños no tenían miedo. Me miraban con sus grandes ojos risueños y trataban de ayudarme a recoger mis papeles mojados, los objetos que la riada arrastraba dentro de la clase. «Lluvia, lluvia», repetían entusiasmados de su conocimiento de mi idioma.

La sombrilla no me sirvió de nada. Empapada, chapoteando en el barro me fui acercando a mi vivienda. Por el camino me crucé con Manuel que venía a mi encuentro para ofrecerme ayuda y compañía. Descalzo, su delgado cuerpo adolescente brillaba con las gotas de lluvia cuando el sol, o mejor, la claridad de un sol oculto, fue dando paso a una calma engañosa.

Mi padre me decía en una carta que había un español oriundo de nuestro pueblo y pariente de unos conocidos, que llevaba mucho tiempo en la isla. Se llamaba don Cipriano Sánchez y eso era todo lo que sabía de él. No tardó mucho tiempo en dar señales de vida. Un día, después de la comida, apareció en nuestro «rancho». Era de mediana estatura, delgado, ojos vivos y piel arrugada. Vestía de blanco y se quitó el sombrero de ala ancha. Se dirigió a mí y me preguntó:

—¿Gabriela López? —él mismo se dio la respuesta—: Otra no hay, así que tiene que ser usted...

Me dijo que podía disponer de él, que le pidiera ayuda, que fuera a visitarle a su factoría, que vivía cerca de allí, en la cuesta, sólo un poco más arriba.

Cuando salió, los del grupo me dijeron que era rico e influyente, que tenía casas y fincas de cacao y que andaba tras de instalar un salto de agua para dar luz a su barrio, donde tenía las factorías, los talleres y las serrerías de madera.

Algo en él me recordó a don Wenceslao. El cuerpo enjuto, los ojos oscuros o acaso el color de la piel ajada por el trópico. Desde que dejé el pueblo no había tenido noticias del viejo recluido en su casona. Hay en mí un instinto que he desarrollado toda mi vida: el instinto de no mirar atrás. Cada etapa cerrada se hundía en el pasado.

Clausuraba lo vivido y no intentaba mantener lazos, indagar noticias sobre las personas que, pasajeramente, entraban en mi vida. Creo que en el fondo sentía miedo a dejar ataduras, miedo a aferrarme a lo que, de modo irremediable, pasaría a ser un capítulo de difícil repetición.

No obstante, y contradiciendo lo que digo, escribí a don Wenceslao comunicándole mi intención de pedir una escuela en Guinea y de viajar allá. No me contestó. Tampoco me devolvieron la carta. O se perdió o le alcanzó en la bruma de su soledad y no sintió deseos de contestarme.

La presencia de don Cipriano había reavivado el recuerdo del viejo amigo. También recordé el frío, el olor de aquellos campos, la brusquedad de María, el afecto de Genaro y su rostro sensible. Un ramalazo de melancolía me sacudió durante unos segundos. Sólo unos segundos. Lo que tardé en pedir otra taza de café, lo que tardé en sonreír a Manuel que me acercaba el azúcar. Como un ronroneo lejano me llegaba la conversación de mis compañeros de mesa que divagaban sobre la cuantía de una fortuna: la de don Cipriano Sánchez, mi visitante.

Don John, don Heinrich, don Max, don Cipriano. Estaban todos sentados en sus mecedoras en la galería del club, el casino o comoquiera que se llamase aquel salón donde zumbaban tres grandes ventiladores que agitaban el aire y lo mantenían fresco.

Eran plantadores, eran blancos, eran hombres. Y me habían invitado a comer a través de don Cipriano. Él mismo se presentó en mi casa, llamó a mi criado, que dormitaba en el portal, y Manuel anunció su visita. Era una hora de calor y yo trataba de dormir bajo las aspas del abanico metálico.

—Es usted la única mujer blanca con un puesto de trabajo decente. Queremos obsequiarla y presentarle nuestros respetos...

Sorprendida y un poco confusa, había aceptado.

«Los tiburones», fue el comentario de Emile cuando se lo dije. «Quieren tomarte medida y ver si puedes ser peligrosa o no...» Estaba acostumbrada a los comentarios sarcásticos del médico que siempre encerraban algún sentido oculto.

En esta ocasión me molestaron. Vi en ellos una especie de resentimiento contra mí por haber aceptado la invitación. No dije nada, pero por primera vez empecé a preguntarme si mi amistad con aquel negro inteligente y rebelde no significaba una dependencia.

—Un negro muy inteligente —dijo don Cipriano mientras cortaba cuidadosamente los filetes blanquecinos.

El primer plato había consistido en huevos de tortuga, y el segundo, carne de la misma, con una guindilla muy picante del país.

—Y levantisco —dijo don Heinrich—. Recuerden su relación con los braceros de Flores. ¿A qué iba allí?, ¿qué se le había perdido? Los braceros estaban contentos, eran buenos trabajadores, aunque torpes como todos los negros. Pero él ¿qué quería?... Y luego tiene el runrún de los franceses. Ellos no sueltan nada pero ¡cómo les gusta que los demás soltemos lo nuestro!...

Hablaba un español duro, a pequeños ladridos ásperos que golpeaban los oídos de sus oyentes.

No puedo recordar quién empezó a hablar de Emile. Casi seguro fue don Cipriano, el enlace, el enviado para que yo compareciera ante el tribunal blanco. Es muy posible que fuera él el primero en preguntar.

—¿Y su amigo Emile? —intempestivamente, sin relación con la conversación que había girado en torno al clima, las comidas, la adaptación al trópico; temas todos convencionales en un primer encuentro entre europeos. Y de pronto el ataque, la insidiosa pregunta: ¿Y su amigo Emile?

Antes de que tuviera tiempo de contestar: «Bien», o preguntar a mi vez: «¿Qué quiere decir? ¿Por qué le interesan mis amigos?», ya había llegado la afirmación de don Cipriano sobre la inteligencia de Emile y, en seguida, la áspera relación de agravios del alemán.

«Los tiburones», había dicho Emile. Pero no quise ceder al aparente acierto de su definición. Tiburones o no, sería yo quien debería decidirlo y comprobarlo.

—Emile es un hombre muy inteligente, es verdad —dije, cuando pude intervenir—, inteligente y generoso y sensible. Vive pendiente de su gente y es natural. ¿Acaso nosotros los blancos no nos ayudamos, no nos sentimos cerca de la gente de nuestra raza?

—Así debía ser siempre —dijo un holandés fornido y rubicundo que había centrado toda su atención en la comida hasta ese momento—. Así debía ser, pero no es. Los blancos estamos indefensos ante estos revolucionarios de color oscuro que son muchos y nos pueden masacrar si se lo proponen...

Traté de disuadirle de sus opiniones.

—Yo trabajo con negros —le dije— y puedo asegurarle que son gente pacífica y no he tenido ocasión de advertir en ellos la menor hostilidad hacia los blancos...

La discusión transcurría en términos amistosos. Se había convertido en un punto de interés común y se desarrollaba dentro de normas elementales de corrección y tolerancia.

Fue el español el que irrumpió de pronto cortando en seco la conversación. Su voz cargada de indignación extendió por la sala un manto de acidez.

—No nos vayamos por las ramas, Gabriela. Como compatriota y caballero tengo que ser sincero: usted no puede alternar como lo hace con un negro...

Todos estaban de acuerdo, estoy segura. Habrían hablado del asunto largo y tendido y la encerrona había sido cuidadosamente preparada. Pero la forma, la brusquedad, el tono, dejaron en suspenso al resto de los comensales.

—No es eso, señorita, no es exactamente eso —trató de intervenir el inglés.

Pero yo lo entendía muy bien. Lágrimas de rabia trataban de salir de mis ojos y la voz se me apagaba en una tormenta de humillación. Cuando pude hablar traté de controlar mi voz para que brotara serena.

—Señores —dije—, no son ustedes quiénes para velar por mi conducta...

—Se equivoca —gritó don Cipriano—. Se equivoca —repitió bajando la voz—. Hay una prohibición que marcan las leyes. Ni un solo blanco casará con negro, ni mucho menos tendrá una blanca relación con un negro...

Fue con un negro con quien tropecé al salir del comedor.

Venía con las copas de licor y la bandeja saltó por los aires al chocar conmigo. El negro me sujetó por los brazos para que no cayera. «Perdone, señorita», dijo. Y trataba de limpiarme la ropa con la servilleta.

De un empujón le aparté y salí corriendo. Me pareció que en la mesa sonaban risas confusas. Pero en seguida percibí que no eran risas sino murmullos de sorpresa y reconvenciones al negro que, como siempre, sería declarado el único culpable.

—Cuando pasen las lluvias subiremos a la montaña —dijo Emile. Trataba de animarme porque veía mi desaliento físico, la lucha contra un clima extenuante para mí—. La montaña es fresca y seca y te recordará el Norte de tu país. Dicen que alguna vez se ha visto hasta escarcha.

Pasó luego a contarme la belleza de aquellas tierras altas, olorosas de monte y hierbabuena, las hortalizas que allí cultivaban parecidas a las de España, los ganados variados que pacían en las praderas.

—Iremos cuando llegue la Semana Santa —sugerí.

Precisamente poco antes de empezar la Cuaresma, el párroco vino a la escuela para explicar a los niños el significado de la festividad.

Rezó con ellos y los bendijo. Al despedirle, los niños daban palmadas a su alrededor, cantaban y reían y hacían en el aire la señal de la cruz. Parecían exaltados por una embriaguez litúrgica que iba más allá de las doctrinas.

El Cura movió la cabeza.

—No se puede con ellos —dijo—. En seguida se escapan a lo suyo.

Como había prometido, el miércoles de Ceniza llevé a los niños a la Iglesia.

El Cura fue dejando manchas grises en las frentes oscuras. Y ellos parecían fascinados con el rito y la salmodia: «Polvo eres y en polvo te convertirás». Al salir de la Iglesia los niños se miraban unos a otros sin atreverse a tocar el misterioso tatuaje.

Recordé la primera vez que yo había escuchado esta terrorífica advertencia. Tenía diez años y el abuelo había muerto en un pueblo lejano. Mis padres me dejaron en casa de una amiga. Al día siguiente era miércoles de Ceniza y nos llevaron a la Iglesia. No entendí la ceremonia pero a la salida la madre de mi amiga nos lo explicó muy bien: «Cuando uno muere se convierte en ceniza, se hace polvo. Y el Cura nos recuerda que sólo somos eso, polvo, y cuando morimos volvemos al polvo para siempre…».

Fue sin duda la primera revelación inevitable de la muerte. Mi siguiente reflexión se centró en el abuelo, muerto ya y comenzando a regresar al polvo. Un terror infinito me trastornó. No pude dormir y al otro día, cuando regresaron mis padres, lloré mucho tiempo en sus brazos.

Pasados unos días, el Cura me envió recado por el sacristán: «Que la espero el Jueves Santo para los oficios».

Hice un gesto de vago asentimiento. El jueves era el día que me esperaba la excursión de Emile. «No iré a los oficios», pensé. No fui a los oficios. Pero nunca subí a las praderas.

Estábamos sentados en la tienda de Pedro Ibu, junto al tenderete en el que exhibía su oferta multicolor de artesanía: rionchilas pasadas por fibras vegetales, pulseras de pelo de elefante, pieles de serpientes, trozos de marfil tallado, pieles de mono, plumas de colores.

Pedro Ibu era tranquilo, respetuoso, amable. Admiraba a Emile y se veía que entre ellos había otros lazos además de la amistad. De vez en cuando intercambiaban frases en su idioma que sonaban en mis oídos con acentos inquietantes.

Volví a recordar la agresividad de don Cipriano y sus amigos. Miraba a Emile y me preguntaba si sería en verdad un rebelde activo, un luchador contra la metrópoli, enviado por los franceses para levantar a los negros contra nosotros.

Pero ya Emile volvía a dirigirse a mí en su español dulce y arrastrado.

—Iremos a la montaña…

Faltaban pocos días para las fiestas y él seguía insistiendo en su excursión.

Pedro sonreía; todo en él expresaba simpatía y dulzura.

—Hermosa la montaña —dijo.

Yo no contesté. Estaba sentada en el tronco hueco de un árbol y me pareció que el tronco se escurría debajo de mí. Traté de sujetarlo.

—¿Qué te pasa? —dijo Emile.

Lo miré y quise hablar, pero las palabras que resonaban en mi cerebro no salieron de mis labios.

Como envueltos en algodón llegaron a mis oídos fragmentos de frases que se referían a mí: el calor… el cansancio… los mosquitos… Luego la oscuridad me rodeó por completo.

Durante diez días y diez noches deliré en el Hospital.

Cuando empecé a distinguir lo que me rodeaba, allí estaba Emile, que se inclinaba sobre mí y me decía: «Ya pasó». Y Manuel que movía con suavidad el abanico de plumas sobre mi frente. Y la bata blanca de una enfermera negra.

Al despertar de mi inconsciencia, una inmensa tristeza se apoderó de mí. O más bien era mi estado físico, tan deteriorado, el que producía la tristeza. Tardé mucho tiempo en mirarme al espejo, pero me recorría el cuerpo con las manos y encontraba las aristas de los huesos, el esqueleto dibujado bajo la piel, perfectamente palpable.

—No ha sido la peor —me dijo Emile, cuando pude escucharle—. Ninguna de las grandes fiebres, ninguna de las incurables. Pero ha sido suficiente… Tardarás mucho tiempo en recuperarte. Te explicaré el tratamiento para el viaje…

Los papeles los arregló la Delegación, Emile me acompañó a Santa Isabel. Los porteadores subieron mi baúl al barco. En el muelle me crucé con don Cipriano, que no me reconoció o evitó reconocerme. Emile me sujetaba al subir a bordo. No pude esperar en cubierta para decirle adiós. Me dejó tendida en la litera, ordenó mis cosas, puso en mi mano la próxima dosis de quinina y me besó en la frente.

La travesía no fue mala. Por alguna consideración especial me adjudicaron un camarote de cuatro para mí sola. Me atendieron con cariño y tuve la sensación de estar recibiendo un trato deferente. La deferencia ¿venía de la Delegación? ¿Venía de Emile? Noches y días descansaba rendida en la litera. Mi debilidad hacía que nada me afectara demasiado, ni los movimientos del barco, ni el calor, ni el lento transcurrir del tiempo. En permanente duermevela, sólo una obsesión aparecía y desaparecía en las ondulaciones de mi cerebro.

«Mi sueño no progresa. Mi sueño es un sueño maldito. Siempre estoy empezando el sueño…»

Segunda parte

El sueño

La boda fue en la ermita del Santo Sendero. Yo llevaba un traje de seda negro, un ramito de violetas en las manos y en la cabeza una mantilla de blonda larga, de mi abuela. Ezequiel también iba de negro. Un traje de paño, muy justo, muy escaso. Le quedaban las mangas un poco cortas y yo veía sus manos protegidas por los puños blancos de la camisa y las mangas del traje, como volando, como en el aire. Los dos estábamos serios. Y también mis padres. Al lado de Ezequiel, la madrina, mi madre. A mi lado, mi padre, el padrino. Él no tenía padres, ni hermanos, ni parientes cercanos. Por eso habíamos elegido a mis padres para los papeles principales.

—No tengo a nadie —me dijo el día que me pidió que nos casáramos—. No tengo a nadie más que a ti.

Muchas veces he dado vueltas a mi matrimonio y siempre he llegado a la conclusión de que aquella soledad de Ezequiel, aquel abandono en que vivía, habían sido decisivos para que yo le aceptara y le quisiera. Aún ahora, si vuelvo sobre aquellos años tan lejanos, tengo que confesar que amor, amor, lo que se dice amor, no había entre nosotros. Al menos por mi parte. Sin embargo nunca tuve la sensación de haberme equivocado.

Me pareció en todo momento que mi elección había sido afortunada y que las cualidades de Ezequiel suplían con exceso los espejismos del enamoramiento que veía en otras parejas.

Yo no sé si pensaba en todo eso mientras el Cura de mi pueblo nos echaba las bendiciones. Es probable que mis reflexiones tomaran otro rumbo: cuánto tiempo duraría la ceremonia, cuántos amigos se encontrarían entre la gente que había acudido a la Iglesia, cómo transcurriría aquella noche, tan temida y esperada, de nuestra boda.

Cuando el Cura nos bendijo yo estaba pensando cómo nos arreglaríamos para cargar en las maletas tantas cosas que mi madre había ido acumulando para nosotros: ropas de cama, cacharros, alimentos, café, una botella de orujo con guindas, un estor de ganchillo hecho por ella, mañanitas de punto, un mantel largo bordeado de puntillas.

Ezequiel me miró invitándome a salir. Entre la gente que se apiñaba en los escasos bancos de la ermita, vi caras amigas, caras conocidas y otras vagamente familiares.

¡Vivan los novios!, gritó alguien a la salida. Después supe que había sido el marido de Rosa, mi amiga de la Normal, que en su día había dado con un hombre aceptable y se había casado con él y vivía feliz con sus tres hijos en una ciudad de Castilla. Por lo demás, la gente se fue retirando con tranquilidad una vez cumplidos los besos, los abrazos y las felicitaciones, y nos quedamos sólo los de casa para una comida sencilla y una despedida breve.

Con las maletas cargadas en una carretilla, enfilamos hacia la Estación. Mi padre y yo delante; detrás

Ezequiel con la carretilla y mi madre a su lado como en la Iglesia, hablando con él, aconsejándole sobre mí o sobre mi supuesta inhabilidad para las cosas del hogar.

Mi padre estaba triste. Yo sé que le costaba separarse de mí. Muchas veces lo había hecho antes, pero sentía que esta separación era diferente. No por la distancia, que no era tanta, sino porque en mi vida había entrado otro hombre, que me influiría como él o más que él, que incluso trataría de arrebatarle el papel preferente que él tenía en mi vida.

Traté de animarle.

—Vendremos pronto. En verano, ya verás...

Era el 1 de junio y el verano se anunciaba en las flores que brotaban por los huertos del pueblo, en las riberas del río, en las orillas de la carretera de nuestros paseos, en las laderas de los montes de nuestras excursiones infantiles.

—Era el momento, padre —le dije—, no podía esperar más...

Tenía veinticinco años y todas las chicas de mi edad, las amigas de la infancia, las compañeras de estudios se habían casado ya o habían aceptado quedarse solteras.

—Yo nunca había pensado, pero...

Nunca había pensado en casarme por casarme. Pero al conocer a Ezequiel me encontré considerando que, después de todo, eso era lo normal, casarse y tener algún hijo. Y que, además, no era incompatible con mi carrera ya que él también era maestro y precisamente por ahí, por la afinidad de intereses y entusiasmos, había empezado todo.

Estaba yo corrigiendo cuadernos a la salida de las clases.

Me había quedado en la escuela porque era cómodo tener alrededor todo lo que necesitaba empezando por los trabajos de los niños. Estaba embebida en mi tarea cuando llamaron a la puerta con los nudillos.

—Pase —dije yo.

Y en la puerta apareció él, Ezequiel, un chico de estatura mediana, muy moreno, ni guapo ni feo, pero de expresión muy atractiva, mirada inteligente, voz grave y agradable.

—Soy Ezequiel García —me dijo—. Soy el maestro del pueblo de Arriba.

Luego me dijo que sabía de mi llegada y que quería haberme venido a visitar antes, pero le fue imposible porque había tenido que marchar a su pueblo por la muerte repentina de su padre.

Observé que vestía de luto, efectivamente. Un luto riguroso que iba desde el chaleco de punto que asomaba por la chaqueta abierta, hasta los calcetines de lana, con seguridad todo teñido, capaz todo de dejar en la piel huellas oscuras.

Nos pusimos a hablar de aquellos pueblos, pueblos de vega rica, de huertos y ganado menor.

—Pero la riqueza está mal distribuida —dijo Ezequiel—. Hambre no hay tanta como en otros sitios pero quisiera que viera la ignorancia en que viven, la suciedad, el abandono. Sobre todo allá arriba, que es mucha la diferencia entre la vega y el monte…

Cuando le devolví la visita, después de una buena caminata monte arriba, me quedé perpleja. En la sala de la escuela, sombría y con ventanas pequeñas, al fondo, junto a la pizarra y la mesa del maestro, había una cama, cubierta con una manta parda. Al observar mi estupor se apresuró a confirmar lo que era evidente.

—Sí, Gabriela, aquí duermo, aquí está todo lo que me pertenece...

Señaló la maleta cerrada, colocada en una silla al lado del camastro, y, con un movimiento circular del brazo, abarcó los pupitres y los bancos de los niños.

—Las comidas las hago en la taberna, pero dormir y vivir, aquí, en mi escuela...

La víspera de la boda hacía calor. La primavera estaba a punto de abandonar su ciclo de humedad fecunda. Soles acariciadores, brotes tiernos darían paso al calor y al aroma del verano. De las tierras de Castilla llegaba ya un aire oloroso de trigos empezando a madurar, de amapolas fatigadas; un aire que anunciaba fuertes amenazas de sequía. Sentados bajo la parra de la huerta estábamos los cuatro, mis padres y Ezequiel y yo, silenciosos e inactivos, sumidos cada uno en los vericuetos de sus pensamientos. De modo inesperado, mi madre empezó a llorar. No se alteró un músculo de su cara.

Las lágrimas fluían serenas, resbalaban por su rostro, se perdían en el cuello y ella no hacía movimiento alguno para limpiarlas. No dije nada que delatara ante los otros, quizás inadvertidos, la angustia de mi madre. Respeté su llanto y ella se sintió obligada a dar una explicación.

—Lloro ahora para no tener que llorar mañana en la Iglesia —dijo.

Se levantó y desapareció en el interior de la casa y me pareció que mi padre no aprobaba esa debilidad. Aprovechó la ausencia de mi madre para tratar asuntos que consideraba inaplazables.

—No vuelvas a enviar un céntimo —me dijo—. No necesitamos nada. Y vosotros vais a necesitar muchas cosas.

Ezequiel me miró porque ya antes habíamos hablado del asunto y cuando yo le dije: «Necesito mandarles una parte de mi sueldo», me había contestado: «Todo, si quieres. Se supone que con el mío deberíamos vivir los dos».

Pero yo conocía a mi padre y sabía que no aceptaría un solo sacrificio mío en la nueva vida que Ezequiel y yo íbamos a iniciar.

—Está bien —acepté—, pero en cualquier momento, si por alguna causa fuera necesario…

Mi madre volvía ya, con los ojos secos y la sonrisa en los labios, y nos anunció:

—Vamos a cenar.

El sol se ocultaba hacia Galicia y era rojo intenso.

Cuando desapareció, el calor de la tarde se fue desvaneciendo. Un tren silbó a lo lejos pidiendo entrada en la Estación. La madreselva que trepaba hasta el balcón exhaló su perfume que se disolvió en el sosiego de la última noche de mayo.

—Casados tenemos más derecho a vivienda —observó Ezequiel.

Pero no fue tan fácil. En el pueblo de Ezequiel casas no había o no parecían disponibles para nosotros. En el mío tampoco encontré muchas facilidades. Yo estaba de huésped en una casa, pero la habitación no era adecuada para dos personas, ni por el tamaño, ni por los muebles, pocos y apiñados en los escasos metros del cuarto.

Finalmente surgió una propuesta. La planta baja de una casa, mitad pajar, mitad cobertizo para herramientas y aperos de labranza.

En poco tiempo la pintamos y la arreglamos. Con ayuda del carpintero, que era aficionado a la albañilería, construimos el hueco del hogar, la chimenea con su tiro y un medio tabique para separar el dormitorio del resto. Teníamos derecho a usar el pozo de la huerta para coger agua y la cuadra como retrete, según la costumbre.

Cosí una cortina y la colgué de una barra a modo de puerta de dormitorio. Compramos una mesa y cuatro sillas al carpintero y en el pueblo mayor, que era cabeza de partido, los utensilios imprescindibles para cocinar y comer. Todo lo habíamos dejado dispuesto cuando nos fuimos para celebrar la boda.

En eso andaba yo pensando cuando el tren se detuvo bruscamente y nos levantamos con esfuerzo. Los músculos los teníamos entumecidos de tantas horas sobre el asiento de madera sin apenas movernos para no molestar a los viajeros y para sujetar como podíamos los bultos que llevábamos.

Ezequiel se bajó y yo le fui entregando el equipaje.

Cuando el tren arrancó, allí nos quedamos, en el apeadero vacío, contemplando el voluminoso conjunto de maletas, capachos, cajas sujetas con cuerdas, que debíamos transportar.

—Espérate aquí, que yo me acerco al pueblo a ver si encuentro a alguno con un carro... —musitó Ezequiel.

Le vi marchar por el sendero polvoriento y una repentina congoja me apretó el pecho. Era el comienzo de nuestra vida juntos y me pareció que se extendía ante nosotros erizada de obstáculos. La nostalgia inmediata de mi casa y mi familia me poseyó. Pero al instante la rechacé. No podía caer en la añoranza de un pasado del que sólo quedaban lazos entrañables con personas queridas. Mi horizonte estaba allí, al final del camino que Ezequiel recorría a grandes pasos en busca de ayuda.

Al cabo de una hora regresó sonriente, montado en un burro.

—Todo lo que he podido encontrar —dijo.

Colocamos sobre los lomos del animal toda la impedimenta y nosotros emprendimos la marcha, uno a cada lado del paciente rucio.

La primera vez que hablé a Ezequiel de Guinea todavía no éramos novios.

—Guinea es como un sueño. A veces si me despierto en medio de la noche y me viene a la memoria algún suceso o alguna persona de esa tierra, tengo que hacer un gran esfuerzo para convencerme de que fue verdad lo que viví...

Estábamos sentados en las almenas del castillo. Desde la altura se veía el río centelleando entre la carretera y el pueblo de mi escuela, Castrillo de Abajo. El de

Ezequiel quedaba a nuestras espaldas, detrás del castillo en ruinas, y se llamaba Castrillo de Arriba.

Los chopos se movían suavemente y las hojas doradas por el otoño resplandecían al sol. La tarde de octubre derramaba su serenidad por los campos.

Ya éramos amigos y habíamos subido hasta lo alto del monte dando un paseo. La placidez de la hora y el lugar nos mantenían en silencio, absortos en la contemplación del paisaje.

De forma inesperada, Ezequiel dijo:

—Nunca hablas de Guinea. ¿Tan poco te acuerdas? ¿O lo recuerdas demasiado?

Me sorprendió porque no había mostrado curiosidad cuando le dije que había estado allí y cómo había enfermado y me había visto obligada a regresar.

Tardé unos segundos en contestarle y él me miraba expectante.

—Guinea es como un sueño… —empecé a decir.

Trataba de ser sincera. Siempre lo intentaba con Ezequiel. Él me impulsaba a hablar. No directamente como ahora, sino en cualquier momento aunque no lo pretendiera. Era su forma atenta de escuchar o quizás sólo la confianza que despertó en mí desde aquella primera visita a mi escuela.

Habíamos llegado a ser excelentes compañeros. Juntos planeábamos actividades para nuestros niños. Juntos organizábamos nuestras clases de adultos, que se convirtieron en seguida en reuniones semanales a las que asistían gentes de los dos pueblos, cada domingo en una escuela.

—Te das cuenta —decía Ezequiel— de cómo reaccionan cuando se les da la oportunidad…

De nosotros hablábamos poco. Por eso me sorprendió el matiz inquisitivo que aparecía en la pregunta. ¿No te acuerdas de Guinea o te acuerdas demasiado?...

—... Guinea es lo más interesante que me ha ocurrido hasta ahora... —dije. Y guardé silencio.

Pareció conformarse, pero a poco empezó a hablar con una violencia extraña en él y su rostro, de ordinario relajado y tranquilo, se crispó de disgusto.

—No sé cómo pudiste ir a Guinea a educar africanos cuando existen aquí tantas Guineas.

Sin transición, empezó a hablarme de su vida.

—... Muere mi madre, mueren mis hermanos siendo yo un niño todavía. ¿Y sabes por qué mueren? De hambre —dijo, sin esperar respuesta—, de hambre y de miseria. Mi padre era pastor pero no tenía rebaño. Todo era del amo. Las ovejas, la leche de las ovejas, las pieles de las ovejas... Para mi padre sólo las heladas, los sabañones, el mendrugo compartido con el perro del amo... Pero no está prohibido que se casen los pastores y tampoco que tengan hijos...

Se calló de repente y cuando volvió a hablar le brillaban los ojos.

—Tú no sabes la rabia que da el hambre...

Luego se fue dulcificando. Recuperó la calma que le era habitual y quiso volver atrás, a la pregunta sobre Guinea que le había llevado a la insospechada reacción.

—África irredenta —dijo—. Lo entiendo. Y seguro que hiciste bien. No me hagas caso. Creo que estoy empezando a tener celos de todo lo que te atañe. Por ejemplo, tengo celos del médico que te ayudó a ser más feliz o menos desgraciada allí...

La sorpresa no me dejó hablar. Ezequiel golpeaba el muro con una rama de avellano que había recogido del suelo al pie del castillo. Era una vara fina y flexible y los golpes sonaban como latigazos al restallar sobre la piedra. El juego le ayudaba a no mirarme; le ocupaba y le distraía como a un niño tozudo que no quiere escuchar la reprimenda que le espera. No hubo reprimenda. Aunque tampoco supe cómo tranquilizar su desazón, remediar la debilidad y el desamparo que le atormentaban. No supe qué decir. Pero en aquel momento comprendí que acabaría aceptando a Ezequiel y que él compartiría mi destino.

Cuántas veces no me engañará la memoria. Cuántas cosas me inventaré a mi gusto… Pero yo me empeño en dar por seguro que aquella época fue la más feliz de mi existencia. Éramos jóvenes, me digo, y puede ser que lo que yo recuerdo como felicidad fuese tan sólo la plenitud de nuestros cuerpos, la facilidad para dormir y despertar, la resistencia de los músculos. Éramos jóvenes y el vigor físico nos enardecía, nos impulsaba a luchar por algo en lo que creíamos: la importancia y la trascendencia de nuestro trabajo.

Soñábamos. En voz alta levantábamos torres de esperanza, proyectábamos puentes de fantasía. «Si algún día pudiéramos.» «Si nos dejaran.» «Si nos ayudaran.»

Hasta los reproches de algunos padres que no entendían nuestro afán de encender en los niños curiosidades y despertar su imaginación, hasta esas críticas agrias y mal intencionadas a veces, se convertían en estímulo para nosotros.

«La próxima semana voy a hablar de este asunto en la clase de adultos…», decía Ezequiel. O bien decía yo:

«No hablemos de ello, sigamos adelante tratando de interesar a los mayores en lo que estamos haciendo con los niños».

Ya antes de casarnos era el trabajo lo que creaba en nosotros nuevos lazos, ya era el trabajo compartido lo que iba construyendo unos cimientos para una relación que todavía no era más que amistad y camaradería.

Desde el día del castillo y la declaración repentina de los celos de Ezequiel, había empezado entre nosotros lo que después llamaríamos el tiempo de las confesiones. La necesidad de volcar en el otro lo que hasta entonces había sido sólo nuestro, era una forma de entrega y un preludio de las que vendrían después. Nos quitábamos la palabra de la boca, apenas respetábamos los turnos, deseosos como estábamos de dar rienda suelta a nuestras confidencias.

—Después de dos años dejé el Seminario. Me daba cuenta de que aquello no era lo mío, pero al mismo tiempo me costaba desilusionar al Cura de mi pueblo, que era quien me había metido allí, convencido como estaba, le dijo a mi padre, de que yo era un chico demasiado listo para quedarme de pastor…

—… Probablemente yo no elegí ser maestra. Mi padre me inculcó el amor al trabajo, la disciplina y la exigencia y esos principios no sólo formaron mi carácter sino que resolvieron una necesidad urgente: la necesidad de ganarme la vida…

—… Mi padre no quería porque siempre vio a los curas como amigos del amo. Pero poca elección tenía si quería mejorar mi destino…

—... A los ojos de mi padre, la carrera de maestra reunía las características más favorables para una mujer: decencia, consideración social, nobleza de miras...

—... De modo que empecé a dar lecciones en casa del Cura para completar las pocas horas de escuela que tenía a mis espaldas...

—... Y otras dos fundamentales: era una carrera corta y barata...

—... A los catorce años, con muchas horas de trabajo en el monte, me fui al Seminario...

—... En resumen, yo fui maestra porque las condiciones económicas de mi familia así lo determinaron...

—... Me gustaba estudiar y recordar lo aprendido, pero quería marcharme de allí. Así que me armé de valor y en las primeras vacaciones fui a hablar con don Gervasio, que así se llamaba el Cura, y le dije: Nunca le agradeceré bastante que me haya sacado de aquí para lo otro, para lo de ser Cura, pero...

—... Lo que sí es cierto es que cuando niña ya andaba yo jugando con la idea de ser maestra. Tenía una maestra joven y alegre y muy paciente y los niños la adorábamos. No sé si la influencia de la maestra también pesó en mi ánimo junto a las opiniones de mi padre...

—... Dejé el Seminario y me pasé a la Normal. Como pude, con becas y trabajos, fui pagándome los estudios. Fíjate que hasta anduve por las calles limpiándoles las botas a los señores...

Hablábamos. Cuando las confesiones alcanzaron su final, estábamos listos para pensar en el futuro. Seriamente, con un punto de gravedad exagerada, hablamos de matrimonio.

Nuestro noviazgo fue el más puro y transparente, el más premeditado de los noviazgos. Por eso digo que pasión, pasión, si queremos entender el amor como pasión, de eso no hubo...

Lo último que colocamos fue el espejo. Era redondo y tenía un marco de escayola dorada. Me lo habían regalado entre todas las amigas. Aquel espejo iba a reflejar mil veces mi cara desde entonces: caras tristes, alegres, temerosas, cansadas; con esa costumbre mía de pensar delante del espejo... El espejo todavía lo tengo pero ha ido perdiendo el azogue con el tiempo y la imagen aparece un poco borrosa, oscurecida por puntitos y manchas.

Los restantes regalos, los obsequios de amigos y parientes y los que mi madre me hizo, los habíamos distribuido con esmero y paciencia. Al final la casa nos pareció hermosa.

No hacía una hora que habíamos terminado de organizarla cuando ya teníamos en la puerta una comisión de niños de las dos escuelas con sus regalos: dos gallinas para mí y un cordero para Ezequiel. Las gallinas las dejamos en el portal hasta que Ezequiel construyó un gallinero detrás de la casa. El cordero, con una marca azul en el costado, se lo entregó Ezequiel al pastor con la advertencia de que lo cuidara bien, del mismo modo que él, dijo risueño, cuidaba y atendía a sus hijos...

Amadeo, el carpintero, no tenía hijos, ni estaba casado. Pero nos ayudaba mucho y mostraba un interés insólito en la educación. Cada vez que surgía la ocasión venía a echarnos una mano. La puerta que no cierra: Amadeo. El banco que hace falta en el portal: Amadeo. Eso en casa. Y en la escuela: Amadeo, si pudieras hacernos un tablero alargado de quita y pon con unas borriquetas, para los trabajos manuales... Amadeo, guárdame las tablillas que no uses que las necesitamos...

«Para la escuela lo que quiera», me decía, «lo que usted quiera o lo que necesite don Ezequiel... que no les cobro, que lo hago con gusto y yo no tengo necesidad ni me importa el dinero». Le gustaba hablar. Se expresaba con claridad y sensatez.

—Digo yo, señora maestra, que si todos supiéramos más de libros y menos de tabernas, nos engañarían menos y seríamos más felices...

Me pedía el periódico. «El que recibe el Cura no me gusta. Lo dice todo a su manera, pero ese que reciben ustedes me parece a mí más acertado y más a la medida de mis entendederas, quiero decir que le doy yo más la razón al suyo que al del Cura.»

La educación y la justicia y la salvación de los hombres por el trabajo bien hecho y bien pagado eran conceptos que a él le gustaba discutir y desarrollar en las charlas que tenía con nosotros al caer la tarde, cuando nos visitaba algunos días. Y también en las clases de adultos, a las que fue el primero en asistir.

Tenía un hermano en la ciudad y lo visitaba con cierta frecuencia. «Lo que quieran me lo encargan», solía decirnos cuando se iba a la carretera a esperar el camión de una tejera cercana que le permitía hacer el viaje gratis.

Un día llegó, misterioso y exaltado.

—Me he enterado en León —nos dijo— que se prepara una muy gorda. Que el Rey va a salir por los pies y que va a haber una revolución. Dice mi hermano que ha llegado el momento de hacer algo, que no podemos quedarnos todos quietos viéndolas venir. Que va llegando el tiempo de que hable el pueblo y se le escuche y nos den lo que es nuestro. Lo primero la educación, don Ezequiel, la educación y la cultura para ser capaces de sacar el país adelante...

Ezequiel le escuchaba atentamente.

—Ya lo sé, Amadeo. Ya leo los periódicos y veo que algo grande se avecina. Y me da a la vez alegría y miedo. Quiero que ocurra lo que tiene que ocurrir pero me asusta que no nos dejen llevarlo a cabo.

Por la noche Ezequiel y yo volvimos a hablar de aquel asunto que traía a Amadeo preocupado.

—No sé si nosotros llegaremos a verlo. Pero habrá que intentarlo todo si queremos que nuestros hijos lleguen a ser un día libres y educados como los niños de Francia o Inglaterra...

Las palabras de Ezequiel me conmovieron. Fue precisamente al oírlas cuando tuve por cierto que estaba embarazada, después de tres meses de dudas y esperanzas.

El otoño vino suave y Ezequiel me obligaba a dar largos paseos. Tenía ideas muy naturalistas y decía que al embarazo le vienen bien el sol y el aire y la lluvia para que se vaya asentando el nuevo ser y se desarrolle con salud.

Siempre me ha gustado pasear, de modo que si a veces me negaba no era por falta de ganas, sino por exceso de trabajo.

Aparte de la escuela y la casa, la preparación del nacimiento se me venía encima: sabanitas, lana para tejer botitas y chaquetas, el agobio del espacio y los constantes cálculos; dónde ponemos la cuna, dónde estará más resguardada en invierno y más fresca en verano.

La cuna ya la había empezado Amadeo. Ezequiel le ayudaba y me decía entusiasmado: «Qué noble oficio, Gabriela. ¿Te das cuenta de que la cuna y la mesa y la cuchara y hasta el féretro salen de manos de Amadeo?».

Yo me daba cuenta, pero me parecía que la cuna de Amadeo y la ropa que yo trataba de hacer y los consejos de las mujeres que se unían en coro cada vez que me las encontraba, todo resbalaba sobre mí, no me dejaba huella. No estaba triste ni contenta. Había caído en una indiferencia placentera y serena. El embarazo me alejaba del mundo exterior. Me encontraba escuchándome por dentro, observando el más mínimo cambio dentro de mí. Una punzada, un murmullo, un temblor, un pequeño dolor, una oleada de calor o de frío.

Me sentía invadida por una red de pequeños canales que se comunicaban entre sí, que transmitían señales imprecisas a mi cerebro. Era una invasión pacífica y puramente física. Rara vez me encontraba pensando en aquel hijo del que todos hablaban. Mentiría si dijera que sentía otra cosa que la transformación de mi cuerpo. No he sido yo muy dada a las literaturas pero la verdad es que ni el sentimiento maternal anticipado, ni la ilusión de la nueva vida, ni el imaginarme cómo iba a ser aquel niño que se acercaba, me ocupaban el tiempo.

Bastantes niños tenía a mi alrededor, bastantes caras risueñas; bastante atareada andaba, atendiendo ese preguntar insaciable que me ha llenado la vida.

De modo que el otoño fue pasando con la alegría de la vendimia y los cestos de uvas que llenaban mi casa y los paseos hasta el castillo de nuestro noviazgo. Desde allí se veían los chopos del río, abajo, con el oro de las hojas brillando al sol y el rojizo creciente de los robles extendiéndose por las laderas del monte.

Ezequiel me cogía por los hombros y me acercaba a su cuerpo, cuando nos sentábamos.

—Tú no lo entiendes —me decía—. No entiendes el milagro que estoy viviendo, después de tanta soledad...

En Navidades fuimos a ver a mis padres. Empezaba a nevar cuando el tren se detuvo y allí estaban ellos, esperándonos. Por un instante se desgarró la bruma que me protegía de todo, la corteza de blanda indiferencia que me arropaba como una crisálida. Las lágrimas asomaron a mis ojos y me abracé a los dos con una punzada de alegría dolorosa.

Durante aquellos días busqué una ocasión para hablar con mi padre. Tenía que decirle cómo era Ezequiel, quería convencerle de que podía estar tranquilo por mí. Paseábamos por la carretera nevada hasta el pueblo cercano. El sol de diciembre nos quemaba levemente la cara.

—Quiero mucho a Ezequiel —le dije— pero yo creo, lo he creído desde el principio, que es un afecto sereno y reposado lo que siento…

Continué hablando largo rato. Necesitaba contarle que mi amor por Ezequiel no era una sacudida violenta, ni un arrebato incontrolado. Era un sentimiento confiado, tranquilo, que no alteraba el ritmo de mi pulso. Y su amor me rozaba la piel como una caricia, un ligero cosquilleo grato y confortable.

—No te preocupes por la pasión —dijo mi padre—. La pasión puede llegar o no. Puede inundar tu vida y dar a tu existencia vaivenes insospechados. Puedes pasar del infierno a la gloria sin darte cuenta. Pero el amor es otra cosa. Hay muchas clases de amor. Yo creo que entre vosotros hay amor.

Desde aquel día mi padre fue especialmente amistoso con Ezequiel.

«Ya no tiene celos», pensé de modo absurdo. «Mis confidencias le han hecho ver que mi amor por Ezequiel no disminuirá nunca mi amor por él.»

Los hijos de don Cosme, el rico del pueblo, se educaban en la capital. Las niñas en las Carmelitas, los niños en los Agustinos. «Quiero que tengan principios», nos dijo un día a Ezequiel y a mí. «Buenos principios.» No pretendía disculparse por no tenerlos en la escuela. Simplemente nos hacía confidentes de sus proyectos educativos. «Mano dura y buenos principios.»

Cuando empezaba a anunciarse la primavera, llegó el Obispo a confirmar a los niños de los alrededores.

Don Cosme organizó un buen banquete en su casa y nos invitó con otras personas que él consideraba importantes: el médico, el veterinario y por supuesto los curas de los pueblos vecinos.

Don Cosme tenía viñas y bodegas. Vivía en mi pueblo pero se consideraba el dueño de la zona. Como él decía a Ezequiel: «Es como si usted fuera maestro de aquí abajo porque aquí vive y además mis tierras están también arriba en el pueblo de usted, así que no sé a qué viene tanto pueblo de Arriba y de Abajo si los dos son míos…».

La visita del Obispo le llevó más lejos en la exposición de sus ideas. A la hora del café, los puros y las copas, levantó la suya en honor del Prelado y por primera vez le oímos pronunciar un discurso.

—Señor Obispo, Ilustrísima persona, brindo aquí por su larga vida dedicada a la fe y a la propagación de la doctrina cristiana y ante los nubarrones que nos acechan y que van cubriendo la patria de amenazas, quiero decirle muy claro que aquí nos tiene y nos tendrá siempre en este pueblo para defender la religión de nuestros padres…

Un poco sorprendida por el tono del brindis yo miré a Ezequiel y me pareció que él no quería mirarme. No se movía y tenía los ojos bajos, como si pensara en lo que estaba oyendo, como si se concentrara en lo que pensaba.

El humo de los puros estaba empezando a marearme y en cuanto pude, me levanté y me escabullí sin despedirme y al llegar a casa me eché en la cama, sudorosa y exhausta. Ya por entonces se movía el niño en mi interior y cambiaba de sitio con frecuencia, sobre todo de noche. Aquellas vagas muestras de actividad que observaba en los primeros meses se habían convertido ahora en codazos, patadas, qué sé yo.

Estaba cansada pero no me podía dormir y cuando Ezequiel llegó ya avanzada la tarde, me encontró a oscuras y se alarmó.

—No habrá llegado el tiempo —dijo sobrecogido.

Reí ante su temor y le tranquilizó mi risa.

—Todavía falta un mes, no tengas miedo...

Pero otro tiempo se acercaba, me dijo Ezequiel. Había estado con Amadeo después de la comida y le había dicho que era urgente que le acompañara a León, que allí se reunían cada día en casa de su hermano gentes muy enteradas de las cosas políticas, gentes que le querían conocer y que le iban a hablar de grandes cambios buenos y decisivos para todos, pero que requerían más que nunca la acción de nosotros, los maestros.

—Teniendo en cuenta —me decía Ezequiel— que el treinta y dos por ciento de los mayores de diez años son analfabetos en este país nuestro.

Las palabras de Ezequiel me llegaban de lejos, como un sonido agradable, pero no las seguía, no me inquietaban ni despertaban en mí interés alguno en aquel momento.

Sólo como un relámpago fugaz me vino a la mente el recuerdo de unas frases en el brindis de don Cosme: «Ante las amenazas que cubren la patria...». ¿Tenían que ver aquellas amenazas con las reuniones de Amadeo? Al llegar a este punto me quedé dormida, hundida como estaba en el limbo de mi maternidad.

Las clases de adultos seguían adelante. En los últimos meses era Ezequiel el único que se encargaba de ellas para evitarme un esfuerzo más.

Había un espacio de tiempo dedicado a las clases propiamente dichas, clases de alfabetización, de cálculo, de nociones científicas o históricas y había otro espacio dedicado a la charla y discusión sobre temas cercanos, sociales y sanitarios o sobre acontecimientos de actualidad que Ezequiel les mostraba en los periódicos. Poco a poco, este segundo espacio fue creciendo ante la avidez de los alumnos por informarse de todo lo que sucedía lejos, en un mundo del que vivían aislados. Ezequiel se dejaba llevar por el entusiasmo. «Ya saben hablar», me decía. «Han aprendido a expresar lo que piensan…»

Yo frenaba su exaltación. «Tienes que seguir con las clases. Primero leer y aprender; luego ya vendrá lo demás.» Asentía, pero una creciente inquietud le desazonaba. «Sé que tienes razón. Pero ignoran sus derechos, sus necesidades, son fáciles de convencer por cualquiera, están en manos de quien mejor los sepa manejar. Yo no quiero hacer política; quiero sólo defenderles de la política…»

Pronto iba a sufrir las consecuencias de sus excesos. Una visita del Inspector de Enseñanza le dejó estupefacto. Como un jarro de agua helada cayeron sobre sus fervorosos empeños las palabras del enviado: «Clases, las que usted quiera, ciencia la que usted quiera, pero mítines, de ninguna manera».

—Te han denunciado, Ezequiel —decía Amadeo, el carpintero—. Te ha denunciado algún malnacido de por aquí. O el Cura o don Cosme, vete a saber…

Me puse de parto a las cinco de la tarde y las campanas empezaron a sonar a las ocho. Los dolores iban y venían siguiendo el ritmo de las contracciones y entre dolor y dolor yo me decía: ¿Pero qué campanas son ésas? ¿Pero qué boda o bautizo o santo? Ezequiel salió a buscar a la partera, que era una mujer del pueblo, vieja y experta por demás. Yo oía gritos y voces y risas y las campanas sonando sin parar. Las campanas ¿por qué?, me preguntaba. Vino Ezequiel con la partera y me dijo: «Vuelvo corriendo que anda el sacristán con los mozos y los chicos y me parece que ha llegado lo que tenía que llegar...».

Desapareció y me dejó con la comadre, que se movía por la casa poniendo la caldera de agua a hervir, preparando toallas y sábanas. Y siempre aquel jolgorio que venía de fuera, de la Plaza, de la Iglesia. Los dolores se entrelazaban, seguidos, termina uno, empieza otro; los dolores se sucedían y yo mordiendo el pañuelo para no gritar. Los dolores me enloquecían. «Morirse no puede ser peor», decía yo, me lo decía a mí misma, mientras la comadrona murmuraba entre dientes algo sobre los hombres y lo poco que iba a durar el mundo si fueran ellos los que tuvieran que parir.

En esto entró Ezequiel y se me vino a la cama y me cogió la mano entre las suyas, que temblaban, y me dijo: «Ha llegado, Gabriela, ya está aquí» Y yo con el pañuelo entre los dientes, desencajada, desvariando de dolor, sin saber de qué estaba hablando, sin poder ocuparme de otra cosa que del dolor, más fuerte, más cercano, inmediato, ya sólo un único dolor interminable, sin pausa ni reposo, brutalmente extendido por mi cuerpo…

«Viva la República», se oyó gritar fuera. Y en seguida: «Viva, viva…». Luego las campanas cesaron y en ese instante me arranqué el pañuelo y dejé escapar un grito que rodó libre, por las calles del pueblo.

Dijo Ezequiel, me lo dijo después, que tras mi grito se había oído el grito del Cura increpando al sacristán: «¿Y tú quién eres para tocar las campanas, quién te dio permiso, quién te mandó?».

Un tercer grito, más débil, más pequeño, vino a unirse a los del Cura y el mío. Mi hija se abría camino en este mundo, se instalaba llorando en nuestras vidas. Faltaba poco para las doce de la noche de aquel día que nunca olvidaré. Era el 14 de abril del año 1931 y hacía diez meses y medio que nos habíamos casado.

—Nunca he visto el mar —me dijo en una ocasión Ezequiel—. Ya ves, hasta la mili la hice en Castilla…

Revelaciones de este tipo me hacían reflexionar sobre nuestras diferencias. Aunque los dos veníamos de familias modestas, había un grado de inferioridad, un matiz de precariedad en todo lo que tocaba a la suya. Más pobres, más desamparados, más desvalidos que nosotros, pensaba yo. Una ternura protectora me embargaba cada vez que descubría el esfuerzo que había significado para Ezequiel llegar hasta aquel pueblo, hasta aquella escuela con su cama y su maleta por toda posesión y su título de maestro por todo futuro.

Ezequiel, que dedicaba una buena parte de su sueldo a comprar libros, que disfrutaba compartiendo con los niños lo que aprendía en ellos, no había visto nunca el mar.

—Esto se va a arreglar —me dijo esperanzado a los pocos días de proclamarse la República—. Esto va a cambiar.

Sostenía en las manos el periódico y leía: «Los maestros se adhieren entusiásticamente a la nueva República...». «Una de las reformas más urgentes que va a emprender la República es la reforma de la enseñanza...» «La dignificación de la figura del maestro será el primer paso de esta reforma...»

Yo sostenía a la niña en brazos. Se acababa de quedar dormida y también a mí se me cerraban los ojos, falta de sueño como andaba desde su nacimiento.

—Ha venido el Cura a ver cuándo queremos bautizar a la niña —dije de pronto.

Ezequiel suspendió la lectura y se me quedó mirando sorprendido.

—La niña no se va a bautizar nunca —dijo—. Yo se lo diré al Cura si vuelve a preguntarnos...

Yo estaba convencida de que ésa era la respuesta que Ezequiel iba a darme y, también, la que yo deseaba que me diera. Pero una sombra de preocupación me envolvió. Era fácil adivinar que aquél sería el comienzo de una sorda guerra entre el Cura y las gentes que le apoyaban y nosotros, con los pocos vecinos que habían gritado, aquel día de abril, viva la República.

—Todo va a cambiar quieran ellos o no —dijo Ezequiel—. Va a cambiar y nuestra hija crecerá en una tierra sin fanatismos ni injusticias...

Le brillaban los ojos de la emoción. Para ocultar la mía, acaricié a la niña y dije:

—Todo va a cambiar y algún día cogeremos a esta niña y a los niños de nuestras escuelas y nos iremos todos juntos, en un autobús grande, a ver el mar...

Si yo quisiera explicar lo que era entonces para mí la política, no sabría. Yo creía en la cultura, en la educación, en la justicia. Amaba mi profesión y me entregaba a ella con afán. ¿Todo esto era política?

En Ezequiel encontré la continuidad de lo que mi padre me había enseñado, la austeridad, la mística del trabajo, la inagotable entrega. ¿Era eso política?

Ezequiel me leía fragmentos de discursos, artículos y noticias que tenían relación con la enseñanza. Yo apenas tenía tiempo para leerlos por mí misma, ocupada con la niña y con mis tareas habituales, pero al escuchar aquellas hermosas palabras, se me llenaban los ojos de lágrimas.

«Es deber imperativo de las democracias el que todas las escuelas, desde la maternal a la Universidad, estén abiertas a todos los estudiantes en orden no a sus posibilidades económicas sino a su capacidad intelectual», decía un decreto publicado en la *Gaceta*.

En un artículo se arengaba a los maestros: «La República se salvará por fin por la escuela. Tenemos ante nosotros una obra espléndida, magnífica. Manos pues a la obra». ¿Era eso política? Al parecer lo era. No habían pasado quince días desde la proclamación de la República y ya teníamos a don Cosme en casa, ladino y conciliador. Venía a ver a la niña y a advertirnos de los peligros que iba a encerrar para nosotros el apoyo incondicional a la nueva República.

—Dejarse de políticas. Las políticas que las hagan ellos en el Parlamento. Nosotros aquí, en el pueblo, paz y respeto para todos —y acto seguido—: Y no me diga, Gabriela, que con estas modas de la República no va usted a bautizar a la niña, que no me la va a dejar mora, tan preciosa como es la criatura...

La suerte estaba echada. Fuera o no política, estaba claro que nuestras ideas estaban en total acuerdo con las que la República proclamaba a los cuatro vientos.

«Tenemos el deber de llevar a las escuelas las ideas esenciales en que se apoya la República: libertad, autonomía, solidaridad, civilidad.»

—A la sobrina de Amadeo le han puesto el nombre de Libertad —me dijo Ezequiel cuando nació la niña.

—Está bien, allá ellos. Pero nuestra hija se va a llamar Juana como tu madre —le contesté yo.

Él guardó silencio y yo me irrité.

—No empieces a engañarte con las palabras —le dije—. La libertad está ahí y hay que luchar por ella pero no empieces a conformarte con las palabras. Las palabras se gastan y pierden brillo. Los hechos no...

La niña se llamó Juana y no fue bautizada. Después de la nuestra, habían nacido dos niños más y sus padres tampoco quisieron bautizarlos.

—El Cura debe estar furioso —le comenté a Ezequiel—. Lo único que temo es que crea que es obra nuestra.

Así que en la próxima clase de adultos Ezequiel lo dejó todo muy claro: que nosotros habíamos decidido libremente no bautizar a la niña, pero que ellos consideraran, también libremente, su decisión, porque no se trataba de alardear de nada que no hubiese sido firmemente meditado. Que no se trataba de ir en contra de nadie ni de provocar a nadie y menos aún de perder el respeto a los que no pensaban como nosotros.

—Yo no pierdo el respeto a nadie —dijo uno de los padres rebeldes—. Ellos son los que me lo tienen perdido desde hace mucho. Yo no voy a la Iglesia porque no quiero y no bautizo a mi hijo porque no quiero. Pero no voy a disimular porque a ellos les moleste. ¿Disimulan ellos cuando bautizan a los suyos por si me molesta a mí?

«Ellos» se había convertido en un vocablo cargado de misterios y suposiciones. Para los republicanos, «ellos» eran don Cosme y el Cura y los que compartían sus opiniones. A su vez «ellos» éramos nosotros para don Cosme y sus aliados.

En los pueblos pequeños y alejados de las ciudades como los nuestros, las primeras reacciones frente a la República fueron el desconcierto y la desconfianza. En seguida la toma de posiciones se fue acentuando y se produjo una evidente división. Sin que nadie interviniese directamente, los vecinos se fueron agrupando en dos núcleos significativos, a favor unos y en contra otros del nuevo Gobierno.

Corrían rumores, comentarios socarrones. Se lanzaban unos y otros frases intencionadas. Era un tanteo, un ensayo general, una maniobra de fogueo.

—Don Cosme, vaya preparando las ovejas que me las voy a llevar un día de éstos —decía Pancho el pastor, que estaba en la casa desde la época del padre de don Cosme y mantenía con el amo unas relaciones de absoluta confianza.

—Antes de que te las lleves tú, las enveneno —replicaba riendo don Cosme.

—¿Y las viñas? —pinchaba el pastor.

—Antes de que me las quiten, las quemo —contestaba don Cosme.

Ya había desaparecido la broma. Se advertía un matiz de seriedad en la respuesta. Se vislumbraban ya las iras encendidas del desacuerdo.

Un día en la pared de la Iglesia apareció un letrero escrito con carbón: «Abajo el clero».

Al terminar la Misa salió el Cura con el pelo blanco revuelto, la sotana mal abotonada y empuñando un cepillo de raíces, que dirigió con fuerza contra el muro. Las palabras se borraron, pero la mancha negra quedó allí, informe y amenazante.

Los niños no eran ajenos al clima que empezaba a crearse en el pueblo. En la escuela fluían los comentarios, inocentes unas veces, intencionados otras.

—Dice mi padre que la República quiere quitar las iglesias…

—Será porque tu padre es el campanero y tiene miedo a quedarse sin oficio…

—Peor es el tuyo que nunca lo ha tenido…

Poníamos paz. Entre Ezequiel y yo habíamos preparado una lección ocasional sobre la República. Una lección histórica, llena de prudencia y moderación, en la que eludimos pronunciar una sola palabra de ataque a instituciones o personas.

Los niños la escucharon en silencio y no preguntaron nada.

Fue después, al discurrir de los días, cuando empezaron a surgir entre ellos las pullas, los pequeños ataques, las desavenencias que reflejaban las distintas posturas de sus padres. No obstante, poco a poco, una nueva normalidad se instaló en el pueblo. La calma presidía la vida del lugar. Aparentemente nada había cambiado a pesar de los continuos informes de la prensa.

Reforma agraria, reforma sanitaria, reforma de la enseñanza. Las reformas discurrían por la tinta fresca, pero todavía no se veían señales de su realización.

Entre el deslumbramiento por los cambios políticos del país y el desconcierto de nuestra nueva situación familiar, el tiempo fue pasando y sin darnos cuenta el verano se nos echó encima.

Yo estaba deseando llegar a casa de mis padres para que conocieran a su nieta y para encontrar alivio a la crianza de Juana con la ayuda de mi madre.

La víspera de las vacaciones un suceso vino a empañar nuestra alegría. Amadeo, el carpintero, nuestro amigo, fue asaltado una noche cuando volvía andando, solo, de visitar a unos parientes en un pueblo cercano. En la oscuridad no pudo reconocer a sus atacantes; aunque, decía él, «seguro que no eran de aquí».

Le pegaron una buena paliza y dice que sólo una palabra pronunciaban: masón, masón, masón, mientras le golpeaban.

La maternidad me colmaba de nuevas sensaciones. Lo mismo que en el embarazo mi cuerpo, replegado en sí mismo, se había aislado del mundo exterior, ahora, con la niña cerca de mí, creía percibir todas las vibraciones de la tierra. Me sentaba en el poyo del emparrado o debajo del enorme nogal que sombreaba la huerta de mis padres y las horas pasaban tranquilas.

El menor movimiento de una mano, un parpadeo, un mohín de la niña, me trastornaba. Vivía entregada a aquel contacto cálido mientras el tiempo se escapaba dulcemente.

Ezequiel se acercaba a nosotras y pretendía ilusionarme con los proyectos que le pasaban por la cabeza acerca del futuro de nuestra hija. Pero yo no lo entendía. Absorta en su cuidado no podía imaginar otro proyecto que el de su sueño, su próximo biberón o la mueca ¿de dolor? que a veces cruzaba por sus labios. Mi vida transcurría ajena a cualquier fenómeno que no fuera el de mi maternidad. Cuando la niña dormía en su cuna, yo me instalaba a su lado y sin darme cuenta me sentía caer en un letargo. Como si todavía no se hubiera resuelto la separación, el corte del cordón que nos unía, seguía yo prisionera del ritmo y la frecuencia de sus funciones vitales: dormía cuando ella dormía y me embargaba el dolor cuando ella, por la menor causa, lloraba.

Fue un verano caluroso y espléndido. ¿El mejor de mi vida? Es difícil seleccionar en el recuerdo los momentos felices. Pero aquél fue sin duda el más hermoso y sereno de los veranos. Atrapada voluntariamente en mi papel de madre, prescindía de lo que me rodeaba, hasta el punto de aislarme de las conversaciones que mi padre y Ezequiel mantenían con frecuencia y de las que me llegaba como un lejano eco de dudas y esperanzas.

Mi madre respetaba mis silencios. Nunca fue muy charlatana, pero ahora la percibía activa a mi alrededor, atendiendo a todas las complicaciones que nuestra presencia le creaba.

En cuanto a mi padre, se daba cuenta de lo necesaria que era su compañía para Ezequiel. Los veía a los dos, torpes en su papel de hombres, innecesarios y ajenos a la complicidad espontánea de las mujeres. Por primera vez en mi vida prefería la cercanía de mi madre a la deseada y siempre añorada de mi padre. Pienso que él lo entendía y volcaba su interés en un Ezequiel abandonado y un poco receloso.

Poco a poco, el verano fue pasando y se acercó el momento de partir. Me costaba trabajo arrancar de aquel delicioso refugio. Al despedirme de mi madre, me sentí más hija que nunca, desamparada y huérfana al separarme de ella. Cuando dejé a los dos en la Estación, uno al lado del otro, me pareció intuir los confusos eslabones que nos unían; la red de misteriosas ligazones, que nos encadenaban y que el nacimiento de mi hija había desvelado en mí.

Cuando nació la niña, toda la casa se volvió cocina. La cortina que había separado nuestra cama del resto de la estancia permaneció ya siempre corrida y así todo el espacio disponible quedaba a la vista, sin trabas ni estorbos. El calor del hogar y el olor de las comidas se extendían por la habitación.

La cuna presidía nuestra vida. Los biberones iban y venían del agua hirviendo a la mesa en que se alineaban todos los utensilios de la niña. Yo no podía criarla y desde el primer momento aquel trabajo de limpieza y asepsia me tenía obsesionada.

«Échelo todo junto, que uno encima de otro alimenta más», me decían las mujeres del pueblo. Ellas ni siquiera lavaban el frasco y se limitaban a añadir nueva leche, sin rebajarla ni hervirla, y las botellas tenían un fondo de cuajada agria.

Como madre primeriza todas me daban consejos y, a mi vez, aprovechaba yo para tratar de convencerlas de los principios imprescindibles de la higiene infantil.

Algunas me decían que echaban en el biberón unas gotas de aguardiente para que el niño durmiera mejor. Otras le ponían adormidera para conseguir el mismo resultado. La ignorancia de aquellas mujeres me tenía descorazonada. Tan pronto como volví a ocuparme de las clases de adultos introduje, un día a la semana, charlas sobre el cuidado de los niños pequeños. Las jóvenes venían y mostraban interés. Las viejas se burlaban y aconsejaban a sus hijas que no me hicieran caso. «Toda la vida de Dios ha sido así», decían con un convencimiento tozudo.

Nacían muchos niños, pero durante el primer año la mortandad era muy frecuente. Yo vivía en constante preocupación con las infecciones y encargué a Amadeo algún libro moderno sobre cuidados infantiles. Me trajo de León una cartilla sanitaria con el ABC de tales cuidados y compartí con las mujeres mis nuevos conocimientos.

La ropa se lavaba en el río, como en mi pueblo. Yo conocía el río y la forma de lavar en él y allá me dirigía con mi balde de cinc aprovechando los momentos en que la niña no me necesitaba, al mediodía o a la tarde, según la época del año. No siempre coincidía con las otras mujeres que disponían de un horario más libre que el mío. No me importaba, porque el tiempo del lavado se convertía para ellas en una ocasión de chismorreo. Entre risas y susurros, las vidas ajenas burbujeaban en la espuma de la colada. Río abajo naufragaban reputaciones entre burlas maledicentes. Cuando esto ocurría en mi presencia volvía a casa desalentada. Ezequiel me animaba. «Contra esto también tenemos que luchar, contra ese rasero mezquino con el que quieren medir a todos.»

En el río me enteré, sin quererlo, de adulterios tristísimos y de paternidades supuestas, de herencias amañadas y de viejos rencores trasladados de padres a hijos, de abuelos a nietos. Pero el río era hermoso y cuando estaba sola me recreaba en la paz del paisaje, el murmullo de la brisa entre los chopos, el discurrir tranquilo del agua, sólo apreciable en el temblor de la superficie. La percepción de la Naturaleza me despojaba de toda atadura presente. Me parecía que mi ser entero se deshacía de sus límites, sensible sólo a la atracción de la tierra impasible.

Castrillo de Arriba, el pueblo de Ezequiel, era más pobre que el mío. Su escuela también era peor. Desmantelada y oscura, había hecho milagros para convertirla en un lugar habitable. Luego estaba la lucha con los padres más ignorantes por más abandonados a su miseria.

—Hay tracoma, tuberculosis, bocio, ¿quieres más? —me decía al llegar a casa los días negros en que todo parecía convertirse en un largo camino sin final. Otros días llegaba alegre porque había conseguido vencer alguna resistencia, avanzar un poco en la dirección deseada.

—Lo que ocurre es que nosotros no podemos resolver casi ninguno de los grandes problemas. El hambre y la enfermedad son asunto del Gobierno. Pero ¿cuándo van a empezar los republicanos a cumplir sus promesas?

Mediaba febrero, con la escarcha brillando en las callejas del pueblo. El humo de los hogares se disolvía con dificultad en un cielo duro, de un azul blanquecino. Hacía daño respirar. Parecía que el aire estaba suspendido en capas heladas. Llegó Ezequiel con la cara amoratada, envuelto en la pelliza y la bufanda, golpeando los pies entumecidos de los kilómetros que recorría cada día, de casa a la escuela, arriba y abajo.

—Hay novedades. Más que novedades, instrucciones para poner en práctica lo que ya sabíamos: se acabó la religión en las escuelas.

Y me enseñó la circular que acababa de recibir de la Inspección. «La escuela ha de ser laica. La escuela sobre todo ha de respetar la conciencia del niño. La escuela no puede ser dogmática ni puede ser sectaria...»

Estábamos de acuerdo pero también sabíamos las dificultades que íbamos a encontrar. En primer lugar estaba el problema de los símbolos.

«La escuela no ostentará símbolo alguno que implique confesionalidad, quedando igualmente suprimidas del horario y del programa escolares la enseñanza y la práctica confesionales.»

Todo estaba muy claro. Pero se esperaba que fueran los maestros quienes dieran la primera batalla.

—¿Te imaginas a don Cosme? —pregunté yo.

—¿Y el Cura? —añadió Ezequiel. Era el mismo Cura para los dos pueblos y para los caseríos que se agrupaban en pequeños núcleos de familias por los montes cercanos.

Guardamos silencio durante algún tiempo y luego Ezequiel dijo:

—Lo haremos. Hablaré con el Alcalde para que toque a concejo, informaré a los vecinos.

Estaba empezando a nevar. Los copos de nieve se aplastaban en el cristal con una violencia agresiva.

No eran muchos. La mayoría, del pueblo de Abajo, pero también se acercaron algunos de otros puntos del Ayuntamiento.

El Alcalde tomó la palabra. Era un viejo reposado, respetuoso con las leyes y con las personas. Parecía violento y a la vez decidido.

—… y nos hemos reunido aquí para haceros saber que de orden del Gobierno se va a proceder a quitar el Crucifijo de las escuelas…

El silencio se extendía por la sala. Todos estaban en pie porque no había bancos ni sillas donde sentarse. Se veía el aliento de los asistentes convertido en nubecillas de vapor al contacto con la atmósfera gélida de la habitación.

Cuando el Alcalde terminó su breve discurso Ezequiel tomó la palabra.

—No es un ataque a vuestras creencias. No es un insulto ni un desprecio. Pero tenéis que entender que la escuela no puede ser un lugar para hacer fieles sino un lugar para aprender lo más posible, y llegar a ser hombres y mujeres cultos. Para aprender a ser buenos cristianos tenéis la Iglesia, no lo olvidéis. La Iglesia Católica aquí y en otros lugares las Iglesias de otras religiones que también merecen respeto.

El silencio era total. De pronto una vieja se echó a llorar.

—Ya ni a Dios nos van a dejar a los pobres —dijo entre sollozos.

Su marido le cogió la mano.

—No llores, María —le decía—. Que no es eso, mujer, que ya verás como no es eso…

Un hombre joven tomó la palabra.

—Digo yo, don Ezequiel, si no sería bueno votar eso del Crucifijo, porque digo yo que así se sabe si estamos o no todos de acuerdo.

El Alcalde intervino.

—No hay nada que votar, Andrés, porque esto es una orden de arriba, no un capricho del maestro.

El silencio se había roto y todos opinaban; en voz alta unos y otros en susurrados apartes cautelosos.

Ezequiel se dirigió al Alcalde: «Espero instrucciones sobre la forma y la fecha en que se cumplirá lo anunciado. Yo explicaré a los niños…».

121

—Usted no va a explicar nada a mi hijo porque no va a volver a esa escuela sin Cristo y sin moral... —dijo iracundo un vecino.

—Pues mándalo a los frailes de León —apuntó otro risueño—. Gástate los duros y mételo allí interno.

Unos pocos se acercaron a nosotros. Los conocíamos. Eran nuestros discípulos de las clases nocturnas. Pero no todos. También observamos que algunos de entre ellos se retiraban prudentemente, sin decidirse a mostrar su opinión.

Por las calles nevadas se retiraron todos presurosos hacia sus casas. Al amor de la lumbre, crecería el rumor de las conversaciones.

Regina, nuestra vecina, que se había quedado al cuidado de la niña, nos esperaba ansiosa de noticias.

Era una mujer joven, que asistía a mis clases de adultos. Nunca olvidaré lo que supuso para mí aquella ayuda. No quiso mi dinero, que era escaso, pero todo el dinero del mundo no habría sido suficiente para pagar la amorosa atención que dedicaba a mi hija.

Amadeo llegó más tarde y poco a poco fueron entrando con aire furtivo cuatro o cinco mozos. Hasta muy tarde permanecimos de charla. En torno a la lumbre baja del hogar, sentados hasta en el suelo, parecíamos un grupo clandestino preparando una acción o una batalla. Pero era una acción pacífica y una batalla incruenta.

—No es la religión lo que les preocupa a algunos —decía Amadeo—. Lo que les preocupa es que ya no van a poder explotar a los demás con la cosa religiosa.

—Tienen que comprender —decía Ezequiel— que la moral es otra cosa; está por encima de las religiones. La moral es el resultado de aceptar la verdad y la justicia en todas partes del mundo. Porque la verdad y la justicia no tienen fronteras...

Como el fuego se iba consumiendo, se fueron marchando en silencio, uno a uno, como habían venido, con su aire de conspiradores alegres.

Antes de dormirme recordé que ni don Cosme ni por supuesto el Cura habían dado señales de vida. Al día siguiente Amadeo nos contó que hasta las doce de la noche hubo luz en la sala de don Cosme. Desde la calle se oían las voces de él y del Cura y de media docena más.

Al quitar el Crucifijo de la pared lo hice con sencillez, sin alarde alguno de solemnidad. Lo guardé en el cajón de la mesa y empecé las clases del día.

Acababa de pedir a los mayores sus comentarios sobre un párrafo del *Quijote* que habíamos leído, mientras los más pequeños copiaban el trabajo preparado en la pizarra, cuando se abrió la puerta. En el umbral apareció la figura conocida del sacristán.

—¿Qué pasa, Joaco? —le pregunté.

Era un hombre de escasa inteligencia, inútil para un trabajo concreto, pero buena persona y dispuesto a ayudar a quien se lo pidiera.

—Que dice el señor Cura que me dé el Crucifijo...

La sorpresa me dejó muda un instante.

—¿Y para qué quiere él el Crucifijo? —fue todo lo que se me ocurrió decir.

—Para guardarlo bien, que usted le da mal trato —aseguró el torpe enviado.

—Dile al señor Cura que el Crucifijo es de la escuela y aquí estará bien guardado hasta que me ordenen lo que he de hacer con él.

Los niños se miraban entre sí y me miraban a mí conscientes de la embarazosa escena que el sacristán había provocado.

—Que me lo dé le digo, que luego me la cargo yo —insistió Joaco.

Fue el hijo de Regina, uno de los chicos mayores, quien resolvió la situación.

—Vete, Joaco, y no interrumpas, que estamos estudiando.

Joaco se fue con la boina entre las manos, como había venido, y me dejó la certeza de una nueva angustia. Me pareció que nuestras vidas iban a estar marcadas de ahora en adelante por el signo de la incomodidad. Señales de alarma se encenderían periódicamente obedeciendo a un plan. Era la reacción inevitable ante las transformaciones que iba a sufrir el país en algunas de las cuales nosotros, los maestros, estábamos comprometidos.

Regina, la vecina que tanto me ayudaba, había tenido un hijo de soltera. Se había ido muy joven a servir al pueblo grande, el que era cabeza de partido. Y cuando volvió traía en los brazos al pequeño. La señora de la casa en que estaba era modista y Regina la ayudaba en todo lo que podía, así fue aprendiendo el oficio a la vez que fregaba y planchaba y cocinaba. Cuando llegó al pueblo con su hijo, abrió la casa vacía de sus padres —cuatro paredes sucias llenas de telarañas—, la limpió y la pintó y se instaló a vivir en ella. Al principio fue el blanco de la curiosidad del pueblo entero. Las aguas del río arrastraron, con la suciedad de la ropa, la acidez de las críticas. Poco a poco, a fuerza de trabajo y de constancia, Regina encontró su lugar. Cosía para quien se lo solicitaba. Cobraba unas monedas o recibía el pago en especies: huevos, chorizo, un saco de patatas. Cuando yo llegué al pueblo, la historia de Regina y su hijo se había sedimentado.

El niño había crecido y era un chico grande dispuesto a abandonar la escuela para aprender un oficio. Fue Ezequiel quien le aconsejó: «Busca como puedas salir de aquí». Y a su madre: «Piensa a ver de qué modo podrías ayudarle». Entonces, sorprendentemente, Regina contestó sin vacilar:

—Con su padre, le voy a mandar con su padre, que se ocupe de él, que va siendo hora al cabo de los años…

Era la primera vez que hablaba de su padre, pero no fue la última. Llevada de la confianza y el afecto que nos teníamos, completó su historia.

—El chico es hijo de un señor de dinero. Casado y sin familia. Quiso taparme la boca con unos billetes, pero yo no quise. «Espera, que ya llegará el día», le dije. Y ha llegado. Con una carta se lo voy a mandar.

Escribió la carta, puso en el sobre el nombre, la dirección y otros detalles y mandó al chico al camión de la teja con Amadeo, que se había ofrecido a hablar con el conductor.

—Que paso por allí, hombre. Que me paro y le indico al chico la Plaza, que es muy céntrica y fácil de encontrar…

Regina se quedó llorando. Le caían las lágrimas sobre el traje que estaba cosiendo, color menta con un volante en el borde, para la hija del Alcalde.

Desde que se quedó sola, Regina venía con frecuencia a nuestra casa. A última hora, cuando la luz de la tarde se desleía en las sombras, la ausencia del hijo lo llenaba todo.

—Parece que la palpo, la soledad que me ha dejado —explicaba. Entonces, con cualquier pretexto venía y yo trataba de darle tareas.

—Sujétame a la niña mientras hago la cena, Regina. Acércame la labor, quería consultarte...

Ezequiel salía a veces hasta el taller de Amadeo, uno de los pocos hombres que no estaba a esa hora en la taberna.

Al cabo de un rato aparecían los dos silenciosos o hablando casi siempre de lo mismo: España y la exaltada esperanza que la República había encendido en los españoles.

La conversación seguía de puertas adentro. La luz de la lámpara de petróleo creaba una zona cálida, un círculo luminoso sobre la mesa, que invitaba a alargar la velada.

—Hay que salir del candil y del petróleo —decía Amadeo—. ¿Te imaginas, Ezequiel, lo que sería tener aquí una radio?

Pero la luz eléctrica llegaba sólo al último pueblo grande y de allí en adelante, hacia Galicia, la oscuridad y la miseria se extendían por los pueblos agazapados en valles y montes.

126

Desde que me casé, todo en mi vida fue seriedad y trabajo. No es que antes hubiera desperdiciado el tiempo en frivolidades pero en los períodos de vacaciones salía con las amigas a pasear. Charlábamos y reíamos, nos confesábamos nuestros deseos más íntimos, nuestros deseos imposibles. Desde la aventura de Guinea yo cambié mucho.

—Hija, parece que las fiebres te han alterado el carácter —decían mis amigas.

No eran las fiebres. Pero sí un proceso febril de rememoración. De modo obsesivo volvían a mí los días y las personas de aquel mundo lejano. No me gustaba hablar de ello. Era ése un episodio que guardaba en celoso secreto. Las confidencias amistosas se detenían ahí, cambiaba de tema si surgía Guinea en alguna conversación y la curiosidad de mis amigas se fue debilitando a la vista de mi reserva.

A fuerza de mantenerlo escondido, me parecía que no había sido cierto lo vivido. Evocaba mi escuela, los niños negros, el color de los mercados, el calor húmedo que exhalaba la selva, el gris azul del mar; las praderas que nunca alcancé. Emile aparecía sin cesar en mis ensoñaciones. Apenas me atrevía a nombrarle pero, en mi soledad, recreaba cada instante de nuestra amistad, reproducía los rasgos de su cara, la expresividad de sus gestos, su sonrisa.

El día antes de mi boda, di un paseo con Rosa, mi amiga más querida, casada y feliz al parecer en su matrimonio.

—¿Sabes en quién estoy pensando? —le pregunté.

Ella se rió y me dijo:

—En Ezequiel, me imagino, y en la boda.

—Pues no. Estoy pensando en Emile…

Se me quedó mirando asustada.

—No te cases —me dijo—. Estás a tiempo. No te puedes casar pensando en otro hombre, Gabriela.

Me hubiera gustado tranquilizarla, pero no pude. A medida que hablaba era consciente de estar echando sobre los hombros de mi amiga el peso de una responsabilidad. Pero necesitaba ser sincera por una vez, sincera conmigo misma ante un testigo que me sirviera de referencia.

—Emile ha sido el único hombre que hubiera abierto un camino distinto a mi vida. Era la libertad, la lejanía, la aventura, la fantasía. Pero yo no tenía fuerzas. No podía volver. Y al mismo tiempo, ¿quién me dice que él quería que yo volviera? Emile es la señal dudosa que te hace vacilar en un cruce de caminos. Seguramente elegí la dirección acertada.

Rosa lloraba y yo la consolé, liberada por mi confesión de todos los fantasmas inmediatos.

Con Ezequiel, la vida empezó a ser como yo suponía, seria, austera, entregada a la satisfacción del trabajo cumplido.

El nacimiento de la niña completó el cuadro sereno de nuestro matrimonio. Sólo entonces vi aparecer en los ojos de Ezequiel la añoranza de lo no vivido.

—Si esta niña pudiera viajar y estudiar fuera de España y llegar a hacer algo importante…

Últimamente, desde que las sacudidas políticas habían alterado la inmovilidad de los pueblos y un hervor de rumores se agitaba a nuestro alrededor, la añoranza se convirtió en decisión.

—Esta niña no vivirá aquí, saldrá de los pueblos, estudiará en una ciudad lo más grande posible, Gabriela. En Madrid o en Barcelona se pueden hacer revoluciones. Aquí, no…

Estaba cansado de enfrentarse cada día a una nueva muestra de la apatía de la gente atizada por los que abiertamente se habían convertido en nuestros enemigos.

No obstante, las noticias sobre los maestros se multiplicaban.

Parecía que la República iba a hacer de la enseñanza el corazón de su reforma.

Una medida que nos reconfortó fue la necesaria subida de los sueldos del Magisterio. Nosotros, con dos sueldos, apenas podíamos vivir modestamente. ¿Cómo vivirán, nos preguntábamos, familias completas que dependen de un solo sueldo de maestro?

La aspereza forzada de nuestras vidas no nos dolía, acostumbrados a ella desde que nacimos. Pero había algo que nos preocupaba más que el dinero: la falta de consideración social que sufría nuestra profesión. Sabíamos de compañeros que eran auténticos esclavos de los caciques de sus pueblos. Otros se convertían en criados distinguidos de unos padres que, en su ignorancia, les exigían dedicación absoluta a lo único que les interesaba: cuentas, cuentas y cuentas. Cualquier intento de hacer de la escuela un lugar atractivo era rechazado por los padres influyentes del lugar. Hacía falta una fuerza de voluntad y una seguridad en sí mismo extraordinaria para sacar adelante un programa estimulante en aquellas condiciones. Por eso los proyectos de revalorizar la profesión que la República proclamaba eran un bálsamo para una llaga que tanto nos había torturado.

«Ahora sí», pensaba yo, «voy a tocar mi sueño con la mano».

Las nuevas esperanzas me llevaban a trabajar con afán. Para un concurso de trabajos del Ministerio, presentamos uno, de geografía, en el que desarrollábamos el proyecto de estudio de España sobre un mapa natural. Con plantas de verdad, montañas, ríos, los niños lo habían hecho a la sombra de un roble en la parte de atrás de la escuela. Estaban entusiasmados y cada día añadían un nuevo elemento para completarlo. Una mañana apareció destrozado. Una gran cruz de cal cubría toda la extensión del mapa. Los niños estaban desolados. Varios padres vinieron a visitarme a la escuela para decirme cuánto lo sentían.

Desalentada, esperé la llegada de Ezequiel para contárselo.

—No te extrañes —me dijo—, todo el mundo se quita la careta en estos momentos. Pero lo malo es que algunos sólo se atreven a quitársela en la oscuridad…

Así pasaban los días con un sabor agridulce. Del Ministerio y de la Inspección recibíamos ayuda y aliento. Entre la gente del pueblo, algunos nos apoyaban abiertamente. Otros, por miedo o por convicción, se mantenían al margen o actuaban, como decía Ezequiel, desde la impunidad de lo oscuro.

Un acontecimiento inesperado vino a alegrar nuestras vidas.

Ya nos habían llegado noticias de una creación de la República que estaba teniendo mucho éxito por donde quiera que pasaba: las Misiones Pedagógicas. Un grupo de profesores y estudiantes de Madrid y otras ciudades que viajaban cargados de libros, películas, gramófonos y se instalaban por uno o varios días en los pueblos que más lo necesitaban para compartir con la gente una fiesta de cultura. Escritores, artistas, intelectuales, se sumaban a las Misiones día a día. Habíamos oído hablar de ello y ahora se nos anunciaba a través de la Inspección que el pueblo de Ezequiel había sido elegido para celebrar una Misión. También estaban invitados los vecinos de los pueblos cercanos.

«Hay que hablar con el Alcalde, hay que buscar un local, hay que alojarles a ellos…»

Ezequiel estaba nerviosísimo. Vacilaba entre la alegría y el temor a la responsabilidad que le correspondía.

«Veremos si esta gente da facilidades. Verás cuando digamos de qué se trata.»

Los temores de Ezequiel no carecían de fundamento. Pudimos comprobar que los ataques a cualquier actuación nuestra eran frecuentes y que se extendían también, indirectamente, a los que se consideraban nuestros amigos.

Las tardes que compartíamos con Regina y Amadeo se prolongaban a veces en cenas improvisadas a las que Regina aportaba alguno de sus guisos. Cuando se iban, oíamos cómo ellos continuaban hablando a la puerta de nuestra vecina. Un día Regina estaba muy triste. Había recibido carta de su hijo y éste le contaba cómo progresaba la relación con el padre. Parecía contento y Regina no pudo evitar la tristeza.

—Era lo que yo quería para él, pero me parece que a este hijo lo voy a perder para siempre...

Aquella noche cuando se despidieron de nosotros, no oímos conversaciones en la calle. No habían pasado dos días y todo el pueblo lo sabía.

—Amadeo duerme con Regina. Claro, como a ella se le ha ido el hijo...

Precisamente aquel domingo, en el sermón, el Cura arremetió contra Amadeo y Regina. Sin nombrarlos, todo el sermón giró en torno a los que viven amancebados y en pecado, «apoyados por las gentes sin Dios que nos envía el Gobierno para destruir lo más hermoso que tenemos: la fe y la moral de nuestros niños». Regina entró en nuestra casa temblando de ira y más tarde entró Amadeo acompañado de Ezequiel. Por primera vez hablaron claro del asunto.

—No te preocupes, Regina. Si tú quieres, arreglo los papeles sin tardanza y nos casamos. Por lo civil, se entiende. No esperará el Cura que pisemos la Iglesia...

Las alusiones del Cura no nos afectaron. Nuestra conciencia estaba tranquila. Y estábamos satisfechos de la manera en que se desarrollaba nuestro trabajo y nuestra vida en el pueblo. Vivíamos como campesinos. Como ellos cocinábamos en el hogar de leña a ras del suelo; como ellos comíamos cada día del año el cocido modesto de garbanzos, repollo, un chorizo, un trocito de tocino. Y sopas de ajo con huevo por la noche.

Como ellos acarreábamos el agua en cántaros para los usos domésticos. Como ellas lavaba yo en las aguas del río, lo mismo en invierno que en verano, rompiendo a veces los hielos de la superficie para poder llegar al agua. Como ellos.

Pero no cultivábamos nada y teníamos que comprar las patatas, la legumbre, el pan que nos cocían en sus hornos. Pan blanco y pan moreno. Grandes hogazas que se guardaban durante días y que iban estando más suaves a medida que pasaba el tiempo. No sembrábamos ni recogíamos otra cosa que una impalpable cosecha: los avances escolares de los niños. La mayoría lo entendían. Con mayor o menor finura captaban el trabajo que hacíamos. A su manera, lo agradecían. Pero sabíamos que al mismo tiempo estaban prisioneros de la influencia de otras fuerzas que discurrían como corrientes de agua oculta. Un rumor persistente que impregnaba sus raíces y del que se alimentaban sin saberlo. Por la taberna, por el río de las lavanderas, a la puerta de la Iglesia, circulaban los rumores y las amenazas encubiertas. «Nadie regala nada.» «Lo que da la República os lo van a quitar por otro lado.» «Os quedaréis sin tierras ni ganado.»

Propietarios de su miseria, se aferraban a la cabra, a la vaca, al pañuelo de tierra, a la parte de leña que sacaban del monte comunal, al salario de temporada que les daban los más ricos cuando la recogida de las cosechas se echaba encima y no tenían manos suficientes con los criados fijos. La duda y el temor se adueñaban fácilmente de su ignorancia. «Os quitan vuestras costumbres.» «Os negarán hasta el descanso en sagrado.» «Dejarán a vuestros hijos sin moral ni leyes.»

El runrún se volvía más profundo en la noche, cuando inclinaban las cabezas cansadas sobre la almohada y allí estaba, sonando el agua que fluía bajo tierra. Sólo escarbar un poco, brotaría como un surtidor: «¿Y tú qué crees, Juan o Basilio o Máximo? ¿Nos quitarán de veras lo que es nuestro? ¿Nos sacarán a los hijos de casa para llevarlos a trabajar para el Gobierno?».

«No sé, María, Rosa, Genoveva. No sé, pero hay que estar al tanto, a ver qué pasa.» El sueño a veces era una pesadilla.

Cuando circuló la noticia de que las Misiones Pedagógicas llegarían al pueblo de Ezequiel, el murmullo se convirtió en algarabía. Abiertamente, la gente preguntaba: ¿Qué vienen a hacer? ¿Es para el voto? ¿Cuánto nos van a sacar?

Apoyados por los jóvenes de las clases de adultos tratamos de contrarrestar la campaña que se estaba extendiendo en contra de las Misiones. «Y de los maestros tampoco os fiéis. A ésos los tienen a sus órdenes y enseñan a los niños para que no respeten a los padres ni a Dios y hasta la Patria les parece pequeña.» Ezequiel escribió al Inspector y le dio noticia del clima que algunos estaban creando.

El Inspector ya no era el mismo que un día negara a Ezequiel el derecho a tocar temas que no fueran estrictamente académicos. Se presentó en el pueblo y convocó en la escuela a los vecinos. Con discreción y prudencia habló a la gente.

—No se trata de pediros dinero. Tampoco se trata de hacer propaganda política. Tenéis que entender que es un esfuerzo de la República apoyado por personas desinteresadas que dedican su tiempo libre a traeros una fiesta de cultura...

Luego estuvo un rato hablando con Ezequiel.

—Hay muchas reservas entre la gente que ha sido engañada tantas veces. Por otra parte es una actitud primitiva. Les domina el miedo a lo desconocido y eso es lo que explotan los que desean mantenerlos en la ignorancia...

Ezequiel habló con los vecinos que voluntariamente se habían ofrecido a dar alojamiento a los misioneros; se concretó el horario de actuación; se acordó quién iba a prestar caballerías para trasladar el material de las Misiones al pueblo de Arriba y el Inspector se despidió dejándonos más tranquilos.

El lugar elegido para la Misión fue una explanada delante de la escuela. Si llovía, había que habilitar el aula para niños y viejos y los demás quedarían fuera protegiéndose del agua como pudieran. La asistencia prevista era de unas doscientas personas como máximo si era aceptable el eco conseguido por nuestros emisarios en los pueblos y caseríos cercanos. Había expectación y curiosidad. El nerviosismo se extendía por el pueblo de Abajo. Regina me contaba que muchas madres habían llegado con encargos de arreglos para sus hijos.

«Bájame esta cintura, mujer.» «Dale la vuelta al pantalón del padre, que de tanto crecer ya no le valen los suyos.»

La mañana de junio amaneció radiante. El sol golpeaba con el vigor del verano y de la tierra ascendían aromas maduros.

La fragancia de las flores se mezclaba con el olor al tomillo y el romero. Por la carretera vacía, la luz del sol arrancaba destellos de los guijarros clavados en el polvo.

La carretera discurría paralela al río, pero había que cruzar un puente de piedra para salvar el agua. El río pertenecía al pueblo, lo circundaba y regaba sus tierras. Pero la carretera quedaba fuera del territorio, ajena y apartada. En realidad era un camino malo que se perdía al noroeste hasta enlazar con otro igualmente áspero en tierras de Galicia. Rara vez se veían automóviles circulando por ella. Todo lo más, camionetas que transportaban materiales de construcción o productos agrícolas de los pueblos próximos. Para ir a la ciudad había que coger el tren en un apeadero a varios kilómetros y transbordar después en una Estación poco importante de la línea general.

A la orilla de la carretera, se fueron formando grupos desde muy temprano. Primero los niños. Después algunos jóvenes. Los últimos las mujeres y los viejos. Los hombres no habían abandonado sus trabajos habituales y mostraban así, con forzada dignidad, su independencia. Yo estaba con Ezequiel al borde de la carretera. La hora prevista ya había pasado y no se adivinaba a nadie en la lejanía. Una mujer cerca de mí murmuró: «Aquí quién va a venir. Aquí no viene nadie».

Los niños se habían puesto a jugar. Corrían unos en pos de otros, se escondían, se cogían, reían y saltaban, dueños ya de la fiesta. Los viejos, ni protagonistas ni responsables, dejaban pasar el tiempo con indiferencia, vagamente conscientes de que nada podría ya cambiar el trazado de sus vidas.

Un sordo zumbido detuvo el juego de los niños. Se oía lejano, como el inicio de una tormenta. «Ya vienen, ya se oye el motor…», gritaron.

Una nube de polvo precedió al camión que apareció de pronto retumbando sobre las piedras del pavimento.

Al llegar a nuestra altura se detuvo en seco. Encaramados en lo alto del camión, sobre el voluminoso cargamento, dos muchachas y un muchacho agitaban las manos saludándonos. De la cabina salieron tres personas más, el Inspector y dos hombres de mediana edad. Nos adelantamos a saludarles. Los niños aplaudían y vitoreaban a los recién llegados. «Vivan los republicanos», gritó uno y todos le corearon. Los muchachos del camión descendían entre bromas y risas y se incorporaron al bullicioso grupo.

—Bienvenidos —dijo Ezequiel—. Todo está preparado para subir allá arriba —dijo señalando el castillo—. El pueblo está al otro lado.

Con ayuda de los chicos, los misioneros descargaban sus bártulos. Paquetes, bultos, cajas, cables.

—Es para el cine. Nos van a echar cine… —dijo un niño.

—Sin luz no hay cine —replicó otro.

—Pero ha dicho la señora maestra que traen aparatos para hacer luz —insistió el primero.

Los encargados del transporte llegaban con una mula y un caballo pero en seguida se vio que no era suficiente para cargar toda la impedimenta.

—Pues usted verá, don Ezequiel —dijo el mozo que sujetaba a los animales—. Allá arriba no hay más y aquí abajo, pues usted verá…

Ezequiel me miró y los dos pensamos lo mismo: «Don Cosme. Hay que acudir a don Cosme». Sólo él tenía caballos de refresco. Los pocos que disponían de caballerías propias no estarían dispuestos a ceder su único animal siempre ocupado en los trabajos del campo.

Mientras Ezequiel y el Inspector se dirigían a hacer la gestión cerca de don Cosme, el resto de los misioneros se acercaron a mí. Me preguntaban detalles de nuestros pueblos, de la escuela, del carácter y costumbres de las gentes. Las mujeres y los viejos nos rodeaban mientras hablábamos e intervenían cuando podían.

«Oiga, ustedes podrían decir en Madrid lo de la luz», o: «Que se acuerden que no tenemos médico en varias leguas a la redonda».

Confusos sobre el verdadero sentido de la embajada, llamaban la atención de los visitantes sobre sus problemas.

—No tenemos poderes para arreglar las cosas. Ojalá los tuviéramos —dijo el más alto, que también parecía el de más edad.

El más joven me preguntó sobre los cultivos y los animales y el difícil equilibrio económico de estos pueblos.

—Ésta es la clave de sus problemas. Cambiar las condiciones económicas.

Tomaba nota de todo y me dijo como justificándose:

—Preparo un informe de todo lo que veo. Soy agrónomo...

Nos dijeron sus nombres y apellidos, pero al hablar de ellos, tiempo después, siempre lo haríamos con aquella primera identidad: el alto y más viejo, el profesor; el joven y más bajo, el agrónomo. También los estudiantes quedaron grabados en nuestro recuerdo por los rasgos que los caracterizaban. De las dos muchachas una era pequeña y alegre. Se reía por todo. La otra era espigada y arrogante y más seria. Tenía una hermosa voz y unas manos ahusadas que movía con elegancia. Vestía un traje blanco, inmaculado a pesar del viaje en camión, y unos zapatos de lona, también blancos. Sus ojos brillaban con una chispa de ironía cada vez que los otros discutían por cualquier incidente. Parecía marcar una distancia entre ella y los que la rodeaban, pero no era así. Seguramente esa barrera invisible se derivaba de la gravedad natural de su porte, porque fue muy cordial durante todo el tiempo que estuvo entre nosotros. Se veía que ella era el alma de la Misión, la parte viva y atractiva, la que convertía su actuación en una entrega sin esfuerzo.

El muchacho era protegido y mimado por sus compañeras. Llevaba gafas y un mechón de pelo le caía sobre la frente. La pequeña le trataba con cierta desfachatez.

—Enrique, olvida el griego y echa una mano al altavoz… Enrique, mañana dices tú las poesías. La que mejor te sale es la de Lorca.

Estuvieron dos días con nosotros y vivimos con ellos horas inolvidables. Ayudándoles en lo que podíamos, siguiendo con fervor el desarrollo del programa de actividades, unas para niños, otras para adultos, pero a las que asistían todos fascinados.

Charlamos en las horas de descanso. Intercambiamos opiniones y experiencias, preguntamos y criticamos. Soñamos juntos embargados por una obsesión común: hacer del trabajo de todos la gran Misión que salvara a España del aislamiento y la ignorancia.

Contra todo pronóstico, don Cosme había cedido dos caballos para el transporte del material.

—Nos los dejó por reverencia al cargo administrativo —aseguraba Ezequiel—. Me gustaría que hubieras visto cómo se dirigió al Inspector y cómo le decía, plañidero: «Perdonen si no voy con ustedes, pero me cuesta tanto subir hasta allá arriba…».

Respeto al cargo, deseo de agradar a los vecinos o cualquiera otra razón que le impulsara, el caso es que allá fueron, atravesando el pueblo de Abajo y subiendo trabajosamente las cuestas del castillo, las cuatro bestias cargadas, rodeadas, espoleadas por la jubilosa partida de las gentes que acompañaban a los misioneros.

—La idea es hermosa —reconoció Ezequiel—. Es emocionante y estas gentes no olvidarán lo que han vivido. Pero la esperanza se pierde si no llega pronto la confirmación de la esperanza…

Ezequiel, temeroso, adelantaba siempre el desencanto. Pero fue muy hermoso y todavía hoy puedo reconstruir minuto a minuto el desarrollo de aquellas jornadas.

Veo a los más pequeños absortos en el movimiento de los muñecos de guiñol. Veo a los viejos contemplando por vez primera las imágenes en movimiento. Escucho las preguntas de los chicos, más interesados en el misterio de la máquina que en el propio milagro de la película. ¿Cómo se puede? ¿Cómo funcionan los acumuladores? ¿Cómo se para? ¿Cómo se pone en marcha?

Mundos desconocidos aparecían ante los ojos de los campesinos. Documentales de otros países, cine de humor, dibujos animados. La música popular conocida y amada y aquella otra que escribieron genios universales, todo era seguido en reverente silencio.

La poesía de Juan Ramón, de Machado, la seguían con respeto y una extraña emoción. Los romances, como algo suyo, cercano y vivido; *La loba parda*, *El conde Olinos*, *La doncella guerrera*. De algunos conocían versiones diferentes como había comprobado con los niños en la escuela. Un viejo entusiasmado coreaba un estribillo: «Que los amores primeros son muy malos de olvidar…».

Al principio se resistían. Los de Abajo fueron llegando en pequeños grupos. Los de Arriba salían poco a poco del sombrío interior de sus casas y se acercaban precavidos.

El semicírculo se fue ensanchando. Primero eran tan sólo las filas más cercanas al tablado con los bancos de la escuela ocupados por los niños y detrás la gente sentada en sillas que habían arrastrado de sus casas. Luego fueron cerrándose las filas de pie, detrás de los sentados, una y otra fila hasta ocupar el espacio entero.

La música sonaba en los gramófonos durante la espera. Coplas castellanas, gallegas, asturianas, coplas cercanas y reconocibles. Luego, cuando todos parecían bien situados cesó la música y una voz de mujer se elevó sobre la audiencia de cabezas morenas, pañuelos negros, boinas pardas. La voz de la muchacha arrogante se dejó oír y sus palabras lo ocuparon todo.

«Es natural que queráis saber, antes de empezar, quiénes somos y a qué venimos. No tengáis miedo. No vamos a pediros nada. Al contrario; venimos a daros de balde algunas cosas. Somos una escuela ambulante y que quiere ir de pueblo en pueblo. Pero una escuela ambulante donde no hay libros ni matrícula, donde no hay que aprender con lágrimas, donde no se pondrá a nadie de rodillas, donde no se necesita hacer novillos. Porque el Gobierno de la República que nos envía nos ha dicho que vengamos ante todo a las aldeas, a las más pobres, a las más abandonadas, y que vengamos a enseñaros algo, algo de lo que no sabéis por estar siempre tan solos y tan lejos de donde otros lo aprenden y porque nadie, hasta ahora, ha venido a enseñároslo; pero que vengamos también, y lo primero, a divertiros. Y nosotros quisiéramos alegraros, divertiros casi tanto como os alegran y os divierten los cómicos y titiriteros…»

Las palabras resbalaban sobre las gentes apiñadas en torno al tablado. Un silencio total permitía apreciar la gravedad del contenido, la emoción quebrada en la voz de la muchacha que transmitía el mensaje.

«… los mozos y los viejos de las ciudades, por modestas que sean, tienen ocasiones de seguir aprendiendo toda la vida y también divirtiéndose porque están en medio de otros hombres que saben más que ellos, porque sólo con oírlos y mirar se aprende, porque todo lo tienen a la mano, porque la instrucción y las diversiones se les entran sin quererlo por los ojos y oídos… Y como de esto se hallan privadas las aldeas, la República quiere ahora hacer una prueba, un ensayo, a ver si es posible empezar al menos a deshacer semejante injusticia.»

Algunas cabezas asentían con leves movimientos. Otras se inclinaban hacia el suelo como queriendo recoger sin distraerse hasta la última palabra. Un niño lloró. La muchacha de la voz hermosa hizo una breve pausa. Se oía el canto de los pájaros en un árbol lejano. Una vieja aprovechó para decir: «Sólo con esto ya tenemos bastante. Con oír esto, y sobre todo con que hayan venido». Nadie rió, nadie trató de hacer callar a la vieja. La buscaban con la mirada entre sorprendidos y aquiescentes. De nuevo, la voz se elevó:

«Traemos en estampas luminosas los templos y catedrales antiguos, las estatuas, los cuadros que pintaron grandes artistas. Más adelante queremos traer un pequeño Museo de copias en lienzo de las grandes obras que están en los Museos...»

Verso, teatro, música, la voz prometía, ofrecía, anunciaba el contenido de la fiesta: y ya el público, receloso al principio, estaba ganado.

«... Cuando todo español no sólo sepa leer, que ya es bastante, sino tenga ansias de leer, de gozar y divertirse, sí, de divertirse leyendo, habrá una nueva España. Para eso la República ha empezado a repartir por todas partes libros y por eso también al marcharnos os dejaremos nosotros una pequeña biblioteca...»*

Los aplausos torpes y suaves al principio, enérgicos en seguida, cerraron la fiesta. Algunos tenían los ojos llenos de lágrimas.

—No siempre es así —nos dijo la muchacha que había leído la presentación—. Hay lugares más pobres y menos civilizados que éste. No se concentran, no nos siguen,

---

* Presentación de las Misiones. Texto de Manuel B. Cossío.

no entienden nuestro vocabulario. Y se quejan sin cesar. Porque tienen razón para quejarse. Hambre y enfermedad y miseria es todo lo que han heredado de sus padres...

Éramos doce, y la mayoría sentados en el suelo. Nuestra cocina se había convertido, a última hora, en el lugar de reunión de los misioneros.

—La primera escuela que yo tuve —empezó a contar Ezequiel— fue en un pueblo perdido en la montaña. Enterraban a los muertos sin ataúd, envuelto el cuerpo en unos trapos. Todos los niños tosían. Las niñas vestían una especie de sayales negros y largos. No habían visto un automóvil, ni siquiera un carro...

—Recuerdo una Misión, la primera en que yo estuve —dijo el profesor alto—. No podíamos acercarnos a la gente. Las mujeres corrían riendo, huían de nosotros. Los niños se escondían y nos tiraban piedras.

—En el pueblo que digo —continuó Ezequiel— sólo comían patatas y judías y los días de fiesta un trozo de carne salada o tocino.

«Recuerdo, vi, pude comprobar; hasta vergüenza me daba estar entre ellos; no hay derecho; no es justo; no es humano...»

Nos quitábamos la palabra relatando los aspectos más dolientes de la miseria observada, palpada, de la impotencia ante la miseria.

El estudiante de las gafas dijo espontáneamente:

—No sé cómo pueden ustedes aguantarlo, todos los días...

Se puso rojo por su comentario.

—Quiero decir que es algo heroico y que todo me parecería poco para ustedes, los maestros...

Se hizo un momento de silencio y yo fui recogiendo los restos de la mesa.

—¿Les hago té de monte? —pregunté—. Porque aquí, café, rara vez.

Todos dijeron que sí, que el té de monte era una buena idea y avivé de rodillas la raquítica llama del hogar.

—De todos modos —dije al levantarme—, hay mundos peores. Guinea por ejemplo…

Hablé de Guinea y me escucharon con interés. Entonces, la muchacha seria habló por todos los demás.

—Nosotros somos unos privilegiados. Vivimos en una ciudad, estudiamos, viajamos. Y venimos a los pueblos llenos de entusiasmo a hacer lo que creemos útil y justo. Yo creo en la justicia y la Misión es una ráfaga de justicia…

Las palabras de la muchacha fueron seguidas de un breve silencio. Antes de que Ezequiel dijese algo, intervine yo.

—Ustedes son unos privilegiados, pero son generosos y sinceros. Y tienen en sus manos el mejor de los privilegios: hacer partícipes a los demás de cosas que no se compran con dinero.

Cuando vertí el té de nuestros montes en las tazas, los vasos y pocillos que pude reunir, la conversación siguió por otros derroteros. Ante nosotros desplegaron nuestros visitantes un calidoscopio de las actividades culturales que inundaban las ciudades. Conciertos, conferencias, teatros, exposiciones. Los jóvenes hablaron de la Universidad. El Inspector, del futuro de nuestra profesión.

—Creo que con ustedes y muchos como ustedes…

Proyectos y esperanzas. Siempre las esperanzas parpadeando con un temblor de ilusión y de miedo.

—¿Nos dejarán? —preguntó el profesor mayor. Su pregunta quedó suspendida en el aire.

Ya era avanzada la hora cuando se levantaron y salieron de nuestra casa acompañados por Ezequiel hacia sus alojamientos.

—Lo que más me gustó fueron los versos.

—Y a mí el cine.

—Y a mí los muñecos del teatro.

—Mi madre llegó a casa tan contenta que se olvidó de hacer la cena y mi padre la riñó.

—Dice don Cosme que todo está muy bien, pero que nos van a subir los impuestos. Señora maestra, ¿qué son los impuestos?

Los comentarios tardaron mucho tiempo en extinguirse. Se acordaban los niños y los mayores. A veces nos paraban en la calle o nos esperaban a la salida de la escuela para decirnos:

—Estuvo muy bien y muy bonito todo. A ver si vuelven…

Nos contaron que allá Arriba habían sacado de casa a un paralítico y lo habían llevado en angarillas a ver la actuación de los misioneros. Y que desde entonces había mejorado y se reía y quería comer y había salido de la infinita postración en que vivía.

—Ya hablan de milagro —dijo Ezequiel—. ¡Y poco milagro fue oír en estos riscos la *Pastoral* de Beethoven!

A los pocos días circulaban por los dos pueblos los préstamos de libros de la Biblioteca regalada por las Misiones.

—Un milagro —repetíamos—. Aunque muchos se limiten a hojearlos, es un milagro.

El milagro se convirtió en euforia cuando, al mes de su actuación en el pueblo, nos enviaron los misioneros el gramófono prometido con una selección de discos de música clásica, canciones regionales y cantos gregorianos.

Los domingos por la tarde, después del Rosario, venían muchos a la escuela a oír música. También organizamos charlas en torno a los libros y lecturas en voz alta para los que no podían leer los pasajes más difíciles. El milagro llegó a arrancar un comentario zumbón al Cura.

—A mí mientras no pongan la cultura a la hora del Rosario…

El día que nuestra hija cumplió dos años, la República había conseguido despertar en muchas inteligencias el deseo de aprender, y en los maestros, el deseo de enseñar con más pasión que nunca.

El sueño, nuestro sueño, parecía ampliarse en un horizonte de bienaventuranzas.

—Desengáñate, no merece la pena quedarse aquí, con tan pocas oportunidades para todo —dijo un día Amadeo.

Era otoño. Un otoño lluvioso y revuelto. Caían las hojas de los árboles a cada nueva embestida del viento. El suelo estaba cubierto de una alfombra dorada, verdeamarillenta, marrón. Se pudrían las hojas con la lluvia, y el sol, ausente, nos negaba el suave rescoldo de otros años. Las palabras de Amadeo anunciaban una desconsolada deserción.

—Yo me marcho, te digo. Me marcho a la ciudad. Dice mi hermano que para trabajar en lo que hago, mejor allí. Y luego que la vida la deciden las ciudades. Poco podemos hacer desde este agujero…

—Entiendo que te vayas, Amadeo, pero yo creo que la batalla es la misma en todas partes —dijo Ezequiel.

—¿Y Regina? —pregunté yo.

—Ella verá lo que decide. Lo mío está muy claro…

Regina andaba triste y huidiza y fui yo quien forzó sus confidencias.

—Ya me dijo Amadeo que se va…

Me miró con un respingo de furia.

—¿Y a mí qué? Si se va, que se vaya. Yo no tengo que ver con lo que él haga.

Pero yo sabía que Regina iba a quedarse muy sola.

—También antes estaba sola —me dijo—. La soledad es cosa de una, de lo que te va por dentro. Por dentro, todos andamos solos.

Cuando llegó diciembre con su olor a leña quemada, los días se encogieron, aprisionados entre amaneceres perezosos y apresurados ocasos. Nos encerrábamos temprano en casa y cocíamos castañas para comerlas luego, al amor de la lumbre.

Amadeo no hablaba de su marcha, pero emitía señales que anunciaban el progreso de sus planes. Primero fue el desmantelamiento del taller. Se acercó a casa y le ofreció a Ezequiel: «Quédate con lo que te parezca necesario que yo esto lo desmonto rápido».

Luego fue la venta de la casa. Por el pueblo se corría la voz: «La casa de Amadeo, que la vende barata».

Nadie pensaba en comprarla porque nadie tenía necesidad de ampliar su hogar; sólo las parejas de recién casados que no tenían dinero. Al fin pasó a manos de don Cosme.

—Para almacén o para lo que me cuadre —había dicho.

Vendió la casa y desarmó el taller, pero no fijaba la fecha de partir.

Un día coincidieron los dos, Regina y él, en nuestra casa como tantas veces. Pero aquel día no pude más y me lancé a hablar, imprudente e indiscreta, como me dijo luego Ezequiel.

—Ya va siendo hora —dije— de que nos diga Amadeo cuándo se marcha.

Regina se acercó a la niña y le empezó a dar la cena con calma, como si el asunto no fuera con ella.

Amadeo miraba, sombrío, el fuego del hogar.

—En cuanto pasen las Navidades —dijo—. Que no quiero empezar aquí otro año. Ya me tiene mi hermano buscado un buen trabajo en León, y una vivienda decente.

La niña tenía sueño y no quería cenar.

—Come, mi vida —le decía Regina—. Come para que crezcas fuerte y no necesites que nadie te rija la vida. Come para ser una mujer de verdad.

Amadeo recogió la flecha en el aire.

—Una mujer de verdad no necesita ser esclava, pero tampoco una soberbia que no da su brazo a torcer.

—Una mujer de verdad vive su vida sola sin que nadie la mande, hermosa mía —replicó Regina que mecía a la niña en sus brazos.

La niña se echó a reír y observaba el enfado de Regina como sabiendo que no iba con ella.

—Hasta la niña lo entiende, hasta una niña de dos años es capaz de entender que una mujer no debe seguir a un hombre cuando a él se le antoje…

Se quedó abstraída un tiempo y luego continuó:

—Además aquí tengo mi casa y mi trabajo y si un día mi hijo decide volver quiero que me encuentre donde me dejó. Y sola como me dejó…

Regina no quería irse pero nosotros sí. Llevábamos bastante tiempo dándole vueltas a la idea de solicitar un traslado para que nos enviaran juntos a un mismo pueblo. Para Ezequiel cada vez era más duro hacer el camino de ida y vuelta hasta el pueblo de Arriba. No comía en casa y yo le preparaba una tartera con su comida para que la calentara en la estufa de la escuela. De madrugada, me levantaba sin hacer ruido, reavivaba el rescoldo del hogar y ponía a cocer el puchero. A veces me desvelaba y esperaba sin moverme el paso de las horas. Por la mañana desayunábamos juntos; luego colocaba en la tartera una parte del cocido y la envolvía en una servilleta grande, trabada con un nudo para que la llevara mejor. El día empezaba. Allá se iba Ezequiel en las mañanas heladas del invierno, con su pelliza y sus botas de becerro brillantes de grasa y sus calcetines de lana casera. Me quedaba mirándole hasta perderlo de vista. Su imagen se me quedaba prendida unos instantes: Ezequiel caminando ligero para llegar cuanto antes al final de su recorrido, la escuela en que le esperaban los niños cada día.

Ésa era nuestra elección y nuestra devoción. Pero empezaba a fatigarnos tanta dificultad añadida. ¿Por qué, nos preguntábamos, no podemos disfrutar juntos del tiempo libre a la hora de comer? ¿Por qué este continuo andar por atajos y veredas, arriba y abajo? Después de tres años, estábamos cansados. Así que Ezequiel se decidió a dar los pasos necesarios para conseguir nuestro propósito; dos escuelas en el mismo lugar.

A finales de diciembre, el mismo día que Amadeo abandonó el pueblo, Ezequiel le acompañó a León para iniciar sus gestiones. Regina se quedó conmigo contemplando la marcha de los dos hombres. Estaba triste pero parecía tranquila, y, por última vez, me explicó sus razones para quedarse.

—No puede ser, Gabriela. Yo quiero a Amadeo, pero si me fuera con él, todo terminaría mal. Él se va a hacer su vida, a moverse, a luchar. Se meterá en políticas, seguro. A mí me tendría en casa, en un barrio de pobres, sin conocer a nadie, y yo tendría que empezar mi propia lucha, mi propio trabajo. Pero no quiero. El trabajo lo tengo aquí, aquí tengo mi casa, y a mi hijo cerca por si un día necesita volver…

La primavera llegó con lluvias. Las borrascas entraban por el oeste una detrás de otra, empujadas por vendavales templados. Venían nubes grises y negras y al cruzar sobre los montes se convertían en una sola capa plomiza que se deshacía en gotas gruesas. El agua golpeaba con violencia. Por las callejas del pueblo corrían arroyos sucios que arrastraban palos, pedruscos, excrementos de oveja, mechones de lana enganchados en los escajos, mezclado todo en un mismo revoltijo. Luego, pasado el chaparrón el sol aparecía con el arco iris de las reconciliaciones. Aparecía el sol y empezaba a brillar mientras la lluvia se transformaba en una última cortina de hilillos diamantinos. Más tarde volvería el aguacero y una vez más el sol regresaría. Con la primavera llegó el anuncio de nuestro traslado. El duelo de luz y sombra se avenía bien con mi estado de ánimo que oscilaba entre la alegría del cambio cercano y la tristeza de la partida.

En el oficio recibido se requería nuestra presencia hasta final de curso en el actual destino.

Sentí de nuevo el dolor por el desgajamiento de una situación ya establecida. La sensación de ir dejando detrás fragmentos irrecuperables de mi vida. Esta vez el balance era distinto. La ligereza de mi equipaje se había transformado en una carga sólida y definitiva. La compañía de Ezequiel y de mi hija me confortaba. Con nosotros viajaba nuestra casa donde quiera que fuéramos. El hogar está en la cabeza, en el corazón o, como diría Regina, por todo el cuerpo. Nosotros tres éramos nuestro hogar y conducíamos nuestro destino. Yo veía mi sueño navegando hacia puertos seguros. No obstante una congoja inexplicable me asaltaba. Es la congoja de los adioses, me decía. La nostalgia de lo que queda atrás, vivido y agotado sin remedio.

Cuando se acercó el verano organizamos una fiesta en una pradera, a mitad de camino entre los dos pueblos. Hubo cantos, romances, poesías y promesas de seguir adelante con los conciertos y la Biblioteca de los domingos.

El día de la marcha hasta el Cura nos vino a decir adiós. El Cura y don Cosme y el Alcalde, entre los poderosos. Y una corte de niños, hombres y mujeres cargados de regalos. En un carro nos acercamos al apeadero de la Estación. Nos acompañaron algunos jóvenes y apenas podíamos colocar en el destartalado vagón los sacos de patatas, las gallinas, las frutas y las flores que los niños arrancaron del monte para nosotros. Al abrazar a Regina no pude contener las lágrimas. Juana también lloró, asustada por el tumulto de la despedida.

Cuando el tren empezó a moverse traté de imaginar el verano que tenía por delante en la casa de mis padres. La seguridad de su afecto y sus cuidados me conmovieron y de nuevo tuve que hacer esfuerzos para contener el llanto.

Tercera parte

El final del sueño

La sirena sonaba como el lamento de un animal prehistórico.

Eso me pareció la primera vez que la oí al llegar a Los Valles. Subíamos en el taxi que nos había recogido del coche de línea en la carretera general.

—Algo pasa —dijo el chófer—. Porque no es hora…

A partir de entonces el quejido periódico de la sirena iba a marcar el ritmo de nuestras vidas: amanecer, mediodía, atardecer, medianoche. Aquélla era su función de cronómetro. Pero el lamento irrumpía a veces de forma inesperada: era un mensaje urgente, una llamada enloquecida, fuera de hora.

«Algo pasa.» En seguida entendimos ese aullido que anunciaba la tragedia. De las casas salía gente. Corría carretera arriba, hacia los pozos. Marchaban todos, agitados y silenciosos; no se miraban ni se reconocían. Al llegar a lo más alto, más allá del poblado y de la colonia de ingenieros, traspasada la barrera de acceso a un territorio vedado habitualmente, alguien orientaba los pasos temblorosos:

«Ha sido en el 1, o en el 2, o en el 7…» En torno al pozo señalado se agrupaba la multitud. Las noticias tardaban en llegar. De algún lugar surgía una ambulancia destartalada. Un cordón de empleados cerraba el paso al pozo. Detrás, en apretado círculo, las familias de los mineros, mujeres, viejos, niños, esperaban. El paso del tiempo aumentaba la angustia. Los sollozos se propagaban de unos a otros, se entremezclaban y era un solo gemido colectivo, un llanto compartido, el ay larguísimo de las catástrofes.

Al final estallaría la noticia: «Han sido tres... asfixiados... sepultados... la galería. Los demás van saliendo por el 8».

Todavía hoy, cuando oigo el lamento de una sirena, algo pasa, me digo, algo terrible, previsto y sin embargo sorprendente. Como aquel primer día cuando entramos en Los Valles; cuando el taxi se detuvo a la puerta de la que iba a ser nuestra casa; cuando el conductor apresurado arrebató de nuestra mano el dinero convenido y salió con su coche a toda marcha, advirtiendo de nuevo: «Algo pasa, porque no es hora...».

Olía a carbón. Una película finísima cubría los objetos. Al principio no se veía pero al cabo de un tiempo se hacía evidente. Las manos se volvían sucias, la ropa ennegrecía y en la cara aparecían motas negras. El olor estaba allí, agrio y picante, penetraba por la nariz, se masticaba entre los dientes, se detenía en la garganta.

—Es al principio —dijo Ezequiel—. Ya lo verás.

El viaje había sido lento —tren a León, transbordo, coche de línea, taxi— a pesar de que no eran muchos los kilómetros que nos separaban del pueblo de mis padres.

Las casas se extendían a los dos lados de la carretera que atravesaba el pueblo. Hacia la mitad estaban las Escuelas Nacionales. Unidas por un costado, una pared las separaba al dividir los patios de recreo. Las plantas bajas eran las aulas y en el primer piso estaban las viviendas. Para vivir elegimos el edificio de las niñas. La casa era de ladrillo sucio, y el piso era pequeño, pero nos pareció suficiente y con la comodidad de tener las escuelas allí mismo.

Tenía dos dormitorios, un cuartito con balcón, retrete en el hueco de la escalera, agua corriente, cocina económica, luz eléctrica. Recuerdo que me asomé al balcón aquel primer día y vi, del otro lado de la carretera, detrás de las hileras de casas, un trenecito negro que reptaba por una vía estrecha, al pie de la montaña. La montaña era oscura y no tenía vegetación. Un poco más arriba se prolongaba en otra, ya perforada por la mina. Ezequiel me llamó: «Baja», me dijo.

Detrás de la casa había un minúsculo huerto con dos manzanos y un prado que exhibía la hierba mustia del verano. «Está muy bien, ¿verdad? Para que juegue la niña…»

La hierba y las hojas de los frutales también estaban cubiertas por una capa de carbón que sólo al tacto era perceptible.

De camión en camión, de pueblo en pueblo, nuestros enseres habían llegado antes que nosotros a Los Valles. Iban a porte pagado y en el envío habíamos escrito la dirección: Escuelas Nacionales. Los Valles. Pero las escuelas estaban cerradas y el transportista, que tenía otras cargas que repartir por el pueblo, lo dejó todo apilado delante de las escuelas. Marcelina lo vio, salió de casa, le gritó al hombre.

—Pero ¿usted adónde va? ¿Cómo deja aquí esto?

El hombre ya arrancaba el motor. Le hizo un gesto con la mano y se fue dando tumbos carretera arriba. Marcelina cruzó la carretera, se dirigió al conjunto de bultos abandonados, dio vuelta en su torno, observó los colchones envueltos en mantas, los cabeceros de las camas atados con cuerdas, los cajones claveteados. Y vio pegado en cada bulto un papel con letra clara que decía: Escuelas Nacionales.

«Yo en seguida supuse que era de los nuevos, porque los otros se lo llevaron todo, cada uno lo suyo. Lo que yo no sabía es que los nuevos eran matrimonio y yo decía: será del maestro o será de la maestra.»

Marcelina se arregló el pañuelo, se estiró el delantal, asomó a su casa y dio una voz: «Ahora vuelvo».

Y se fue calle arriba hasta la Plaza. Entró en el Ayuntamiento y preguntó por el Alcalde.

—Si está ocupado, que me den la llave de la escuela que hay que abrirla…

«No me escuchaban, así que al escribiente le di una voz que la oyó hasta el Alcalde. Se asomó don Germán y al decirle lo que pasaba, movió la cabeza así como diciendo: qué desastre. Y dijo: Antolín, dale las llaves. Y ahí lo tienen todo, en el portal. Lo metí como pude con la ayuda de mi hijo mayor que otra cosa no sabe el pobre, pero cargar el peso y buena voluntad, lo que usted quiera…»

Desde el principio me ayudó. Era menuda y enjuta, pero su energía parecía ilimitada. En poco tiempo nos contó su vida.

—Yo vine aquí desde el pueblo que habrán encontrado antes de cruzar el puente, del otro lado del río. Mi familia siempre fue de campo. Por fiestas me cortejó un minero de Los Valles. En mi casa no querían. «El dinero de la mina reluce más que el nuestro, pero está maldito», me decían. A mí me gustó Joaquín y no hice caso a nadie. Me casé y me vine aquí pero con una condición: yo allá arriba, en el poblado, ni en broma, le dije a él. Yo aquí abajo, donde el pueblo viejo, que siempre fue de labradores. Tengo mi huerto que me da fréjoles, lechugas, cebollas. Tengo gallinas. Hago matanza de un par de cerdos al año, ¿qué mejor? Y él sube y baja y cuando llega, aquí me encuentra.

Tres hijos, el mayor, diecisiete años, el segundo quince, diez el tercero.

—El hijo mayor, una desgracia. Nos vino torcido, no andaba, no hablaba. Y ahí lo tienen que parece más crío que el pequeño. Dicen que fue un susto grande que tuve estando embarazada de él. Sonó la sirena y al oírla pensé: mi Joaquín. Salí corriendo y espera, espera, hasta que nos dijeron que no era el pozo suyo, que era un desprendimiento en el pozo nuevo, el que acababan de abrir… Después de aquél tuve otros sustos pero ya estaba hecha a ello como todas; con la esperanza de que no le tocara al mío y la resignación de que pudiera tocarle…

Marcelina nos contó su vida y sólo nos hizo una pregunta: «¿Ustedes tienen hijos?». «Una niña», le dije, «que está con mis padres». «Una niña, qué alegría.»

Luego se puso a ayudar a Ezequiel que intentaba armar las camas.

Esa noche nos quedamos allí. Hacía calor y el aire era denso, difícil de respirar. Una tormenta estalló en el cielo, al otro lado de los montes. Yo no podía dormir. El cansancio me aplastaba, pero la excitación del día me mantenía tensa.

Me asomé al balcón y contemplé el pueblo dormido, la parte del pueblo que alcanzaba a divisar desde allí. A las doce sonó la sirena y por la calle pasaron dos hombres. Caminaban en silencio con su hatillo a la espalda. Al poco tiempo en la casa de Marcelina se deslizó una sombra y en seguida se encendió una luz. Un relámpago zigzagueó en la oscuridad. A los pocos segundos un trueno se desmoronó sobre el pueblo silencioso.

Mañana nos marcharemos, pensé. Mañana regresaremos a las vacaciones, a la niña, a mis padres.

El insomnio se poblaba de imágenes pasadas y presentes.

Empezar de nuevo. Nuevos niños, nuevas gentes…

—Los niños son igual en todas partes —decía Ezequiel—. Las escuelas son mejores y están juntas. Cambiamos el candil por la luz eléctrica y el agua de pozo por el agua corriente…

—Pero cambiamos el aire puro por el carbón —repliqué yo.

—Todo irá bien —afirmó Ezequiel. Y se quedó dormido.

Al poco empezó a llover. La tierra olía a carbón mojado.

162

A rachas se colaba otro olor, el del campo que desplegaba hacia la vega sus cultivos. Me volví a la cama y al frescor de la lluvia el sueño fue llegando, lentamente.

El Alcalde resultó ser republicano.

—Mi padre y mi abuelo también fueron alcaldes aunque las ideas de ellos poco tienen que ver con las mías. Pero en sus tiempos les respetaron porque no robaban ni amparaban injusticias. Eran hombres rectos...

El Alcalde tenía barba blanca y vestía traje negro.

«Desde que murió la mujer va de negro, de los zapatos al sombrero», nos contó Marcelina. «Ellos han sido siempre muy señores, muy vestidos, muy arreglados. Le llaman don Germán, como el padre y el abuelo, que hasta en eso se parecen, en el nombre.»

Don Germán vivía con una hija soltera que me pareció mayor, por el pelo recogido y el cuerpo sin forma, como planchado por la edad. Después de los trámites del Ayuntamiento don Germán nos había dicho:

—Pasen un momento a mi casa, ahí enfrente la tienen, al otro lado de la Plaza.

La hija nos condujo a la sala y nos invitó a sentarnos en un sofá tapizado de terciopelo rojo. Sobre él colgaba una acuarela: una bahía azul salpicada de barcos blancos.

Un buró de caoba ocupaba el espacio entre dos balcones. Sobre el buró el retrato al óleo de una mujer joven, con un abanico en la mano. Era esbelta y el traje de seda gris dejaba ver los hombros desnudos.

«La belga», me aclaró Marcelina. «Don Germán se casó con una belga hija de un ingeniero de la mina, muy rubia ella. La chica se le parece un poco aunque la madre era más alta, más mujer. Como buenas, allá se andan las dos porque la chica ¡qué ángel de muchacha!»

La hija nos preguntó si queríamos tomar algo. «Una copita de jerez», dijo el padre. Y nos sirvió la copa en una bandeja ornada por un paño de encaje.

La casa olía a cera. Relucía la mesa. Brillaban los cristales, protegidos sólo en parte por un estor de hilo bordado. Por las contraventanas entornadas se filtraba la luz de julio. La penumbra invitaba al silencio o a la conversación reposada. Un piano se apoyaba en la pared del fondo. Estaba cerrado y cubierto de retratos de diferentes tamaños y marcos.

«Tocaba la madre, pero la chica también toca. En la Iglesia siempre es ella la que maneja el órgano. A ella le gusta la Iglesia, a la madre también le gustaba. Al padre no, pero recibe al Cura y tienen su buena amistad y sus buenas discusiones también, que lo sé yo por la criada que tienen, sobrina de mi hermana por parte de padre.»

En aquella primera visita, don Germán quería saber. Con hábiles preguntas fue conduciéndonos a donde deseaba llegar: quiénes éramos, cómo pensábamos, qué forma de educar y enseñar era la nuestra. Pareció satisfecho con su indagación.

—Veo que son ustedes las personas que necesitamos. Inteligentes, abiertos de mente. Lo que necesitamos porque este pueblo no es nada fácil. Son dos mundos en uno, mina y agricultura, carbón y cultivo, progreso y atraso, todo en uno, ya lo irán viendo, ya lo irán entendiendo…

La hija sonreía. Escuchaba al padre arrobada como si aquélla fuera la primera vez que le oía hablar.

«Una santa, le digo. Y tiene historia. Algún día le contaré para que vea si tengo o no razón cuando le digo...»

—Los mineros tienen sus escuelas —nos había explicado el Alcalde—. Las tienen arriba, en el poblado minero. Los maestros los paga la Compañía y eso, claro, los tiene supeditados a los intereses de la empresa. ¿Interesa Religión? Pues Religión. ¿Interesa disciplina? Pues disciplina.

«Sí, es verdad, los mineros tienen sus escuelas», nos confirmó Marcelina. «A las de ustedes, a las del Estado, van los más pobres, los hijos de los labradores, de los albañiles, los del barrio de abajo...»

Para esas fechas ya estábamos instalados. Yo tenía en mi escuela cuarenta niñas, Ezequiel treinta y dos niños, todos entre los seis y los catorce años.

Por primera vez tuve a mi cargo sólo niñas. Se me hacía raro y, al principio, muy ingrato. Había observado en las escuelas anteriores, todas mixtas, que los niños eran más vivos, más rápidos en la comprensión, se interesaban más por todo y no tenían miedo a equivocarse. Las niñas ponían más atención, eran más constantes; trabajaban con paciencia y remataban con finura sus trabajos, pero eran más pasivas.

—No son diferentes —le aseguraba a Ezequiel—. Pero respiran otro aire. Las preparan desde la cuna para ser mujeres lo más sumisas posible. Les da vergüenza intervenir, creen que no van a saber, ni poder...

Por eso prefería tenerlos juntos. Me parecía que se estimulaban más, que las características de los unos ayudaban a completar los rasgos de las otras. Juntos, se desarrollaban mejor como personas. Ezequiel estaba de acuerdo y se desesperaba.

«¿Cómo es posible», decía, «que se mantengan las estructuras tradicionales? ¿Para cuándo la coeducación?».

«Y sobre todo, ¿no es absurdo que en los pueblos pequeños se permita la coeducación sólo porque no hay más que una escuela y en los grandes no?»

Se lo preguntaba a sí mismo, me lo preguntaba a mí. También se lamentaba ante el Alcalde.

—Seguiremos así por los siglos de los siglos, don Germán. ¿Y todo por qué? Porque con la Iglesia hemos topado.

Don Germán era ecuánime. Frenaba los arrebatos de Ezequiel.

—Tiene usted razón, pero hace falta esperar un poco más. ¿No ha visto usted que ni en Francia pueden con esa escuela mixta que usted dice? Recuerde la batalla de hace poco tiempo en la Cámara Francesa.

Hacía sólo un mes de nuestra llegada y en medio de las dificultades de adaptación ya estaba Ezequiel haciendo planes para iniciar cuanto antes las clases de adultos. Fue a ver a don Germán y le explicó su plan. Las clases se darían en la escuela de niños, reuniendo a hombres y mujeres, y nos turnaríamos nosotros para darlas. A don Germán le gustó el programa. Era el atardecer y al terminar la entrevista invitó a Ezequiel a que le esperase, mientras resolvía los últimos asuntos del día. Al salir le dijo:

—¿Le importa a usted acompañarme en el paseo y así seguiremos hablando? Me lo aconseja el médico, pero además, me gusta pasear.

Pronto, la pareja que formaban los dos fue familiar a los que circulaban por la Plaza: grande y fuerte don Germán, con su bastón en alto para reforzar una aseveración; más delgado y más bajo Ezequiel que agitaba nervioso las manos pidiendo siempre comprensión y justicia.

Al anochecer, cuando Ezequiel llegaba a casa, la niña ya dormía. Yo preparaba la cena. La luz de la bombilla iluminaba la mesa en la que siempre había un libro abierto. Un libro arrastrado por mí para robar minutos a las tareas domésticas. «Mientras hierve la sopa, leo», me decía. «Mientras frío las patatas, leo. Mientras llega Ezequiel…»

Ezequiel llegaba y me resumía la discusión, la charla que había tenido con don Germán. A veces traía un libro en la mano.

—Me lo ha prestado don Germán. ¿No es una suerte —decía— haber ido a dar con este hombre? Tiene una estupenda biblioteca donde se encierra siempre que puede a leer. Es un hombre sensato, equilibrado, con buen criterio en todo…

«En este pueblo no había otro mejor para Alcalde», me había dicho Marcelina, «anda a bien con la mina, con el Cura, con el pueblo de abajo. Los más le quieren y los menos se aguantan mientras se tengan que aguantar».

Luego nos explicó que los menos eran el médico, el administrador de la mina y dos o tres rentistas del

Casino, indianos regresados, «explotadores de indios allá en las Américas».

—Alguno más habrá —dijo Ezequiel—, alguno más le odiará porque es difícil perdonar al traidor a su clase y seguro que para muchos un «señor» no puede ser Alcalde republicano...

El otoño se presentó seco y a la salida de la escuela nos gustaba dar un paseo con la niña por los alrededores. Había dos caminos que en seguida fueron los preferidos: el del río, carretera abajo, y el del monte que se elevaba detrás de nuestra casa, al lado opuesto de la mina.

Era un monte poblado de hayas, castaños, avellanos. La tala no había alcanzado aquel bosque. Pisando hojas crujientes penetrábamos en su espesura. Los troncos de los árboles estaban cubiertos de yedra salvaje. Recogíamos castañas que soltaban de su armadura frutos bruñidos. Las avellanas y los hayucos emergían brillantes de sus cáscaras y había que guardarlos en los huecos de los árboles «para las ardillas», decía Juana.

En los claros del bosque había praderas donde pacían las vacas mansamente. Juana correteaba por la hierba, se acercaba a los animales sin miedo. A veces aparecía un niño que venía a vigilarlas hasta la hora del ordeño y el encierro.

—Padre en la mina, madre trabajando por la casa, así que yo a echar una mano —decía el niño explicando su presencia.

—Mina y agricultura —iba diciendo Ezequiel al regresar a casa.

—Padre vendrá cansado de la mina, sucio de carbón y ahogado de polvo y beberá un vaso de leche recién ordeñada...

El camino del río también nos atraía. Por senderos estrechos se atravesaba la maraña de arbustos, rosales silvestres, saúcos de olorosas flores blancas. El otoño arrancaba los restos del verano y entregaba al río sus trofeos de ramas secas, hojas amarillas, nidos vacíos. En la margen opuesta se adivinaban casas de labor, prados y extensiones cultivadas. Aquélla era la parte rica de la vega. De este lado, las fincas eran pequeñas, limitadas en seguida por la barrera abrupta del monte.

Fue un otoño prolongado y los días soleados nos transportaban perezosamente hacia el invierno. Antes de los primeros fríos ya habíamos explorado el asentamiento natural de Los Valles.

En la mesa había buñuelos de viento, pastas, frisuelos recién hechos, cargados de azúcar, y una gran chocolatera de latón con mango de madera, que recorría las tazas de mano de Eloísa, la hija de don Germán. Alrededor de la mesa nos sentábamos los invitados y a los dos extremos el padre y la hija, los anfitriones.

Era el día de Todos los Santos. Un aguacero helado había caído a primeras horas de la mañana. Luego, la lluvia cesó pero los nubarrones seguían suspendidos sobre el pueblo.

La Plaza olía a cementerio. Montones de hojas se arremolinaban ante nosotros y al pisarlas saltaba el agua retenida entre ellas. Una oleada de ansiedad me acometió al entrar en el portal de don Germán.

Un instintivo deseo de retroceder. «La sugestión de la fecha», me dije, «y la tristeza del día, una impresión puramente física».

—Hay una pareja que quiero que conozcan —había dicho don Germán—. Él es el maestro de la escuela de la mina y su mujer también. Se entenderán muy bien con ellos.

Desde la escalera oímos la voz grave de don Germán. La criada recogió nuestros paraguas, mi abrigo, la pelliza de Ezequiel.

—… en mi opinión hay que hacer algo —decía el Alcalde.

Se interrumpió al entrar nosotros y pasó a hacer las presentaciones: Inés y Domingo, Gabriela y Ezequiel. Eran más jóvenes que nosotros, más sonrientes y más desenvueltos.

Hablaban de política. Las elecciones estaban encima y los pronósticos no podían ser más pesimistas.

—Las derechas, una vez más, se unen —decía don Germán—, y la izquierda se fragmenta, así no hay nada que hacer. Pero habría que hacer algo…

Eloísa entró en la sala y nos invitó a pasar al comedor. La mesa resplandecía con el mantel de encaje, las tazas de porcelana fina, las bandejas de plata. Los cubiertos me deslumbraron con sus mangos cuajados de rosas y hojas menudas.

Eloísa advirtió mi atención y me aclaró.

—Son obra de un orfebre belga. Un artista. Me las mandó mi abuela… para mí.

Creí advertir una sombra de vacilación al añadir las últimas palabras, «para mí», una mirada de reojo al padre, una sonrisa desdibujada, antes de desaparecer en busca de algo.

Don Germán había dejado de hablar y esperaba el regreso de su hija para empezar el rito de la merienda. Durante unos instantes el silencio se extendió sobre la mesa. Luego entró Eloísa y sirvió el chocolate.

—¿Qué tal por la mina? —preguntó Ezequiel.

Domingo entendió en seguida que no le estaba preguntando por la escuela sino por los mineros y la atmósfera política que entre ellos se respiraba.

—Te puedes imaginar —dijo Domingo—. Están al borde de la desesperación. En lo que va de año han muerto varios mineros por negligencia en las instalaciones. Los salarios no guardan relación con el trabajo y el riesgo. No se respeta el horario acordado con los sindicatos. Mañana precisamente hay un mitin. Si quieres asistir...

Don Germán escuchaba y apenas comía. Bebía el chocolate humeante, desmigajaba distraído una rosquilla.

—Lo que me preocupa es que esto va a acabar mal. Tarde o temprano saltará la violencia. Y nos lo tendremos merecido —dijo.

—La violencia es a veces inevitable —dijo Domingo—. A veces es el único lenguaje posible.

Don Germán movía la cabeza a uno y otro lado con tristeza.

—La República llegó sin violencia, como todos queríamos —replicó—, ¿por qué no vamos a saber conducirla en paz?

Su pregunta quedó flotando en el aire.

171

—Eran muy duras las respuestas —me dijo Ezequiel por la noche, cuando la niña dormía y los dos, sentados en la cocina, recreábamos frente a frente los acontecimientos del día.

—Muy duras. Don Germán es muy inteligente y debía saber que es difícil conseguir lo que desean los humanistas como él: un desarrollo tranquilo del programa de la República con un fondo musical de flautas y piar de pájaros. Don Germán no ha vivido en el monte con los pastores como yo, ni en la mina cerca de los mineros, como Domingo. Don Germán no sabe que hay gente que no puede esperar...

El tono sombrío de sus afirmaciones me impresionó. Volví a sentir la punzada de angustia que me había asaltado al llegar a casa de don Germán.

Es verdad que el paso del tiempo no traía las grandes transformaciones esperadas. La prensa amenazaba con catástrofes. Las elecciones de noviembre se aproximaban. Domingo había entrado en nuestras vidas en el momento en que Ezequiel lo necesitaba. Recordé sus palabras de la tarde. Estaba claro que Domingo participaba intensamente en los problemas políticos de los mineros.

—En un Decreto de 1931 en el que se hace obligatoria la coeducación en los institutos, tengo idea de que se habla de la posibilidad de extenderla a otros grados de la enseñanza, incluida la primaria —nos dijo un día Domingo.

El Decreto existía y cuando se presentó el Inspector en una visita de rutina, le informamos de nuestro plan y

172

le pedimos autorización para ponerlo en práctica. Se trataba de unir niños y niñas y dividirlos en dos grandes grupos: uno hasta los nueve años y otro de diez a catorce. Cada grupo se asignaría a una de las dos escuelas.

El Inspector se mostró en principio bien dispuesto. Pertenecía al cuerpo renovado de raíz por la República y conocía muy bien la lucha de las escuelas unitarias para vencer las dificultades de enseñar a la vez a niños de edades muy distintas.

—Pocas experiencias hay en la escuela primaria, pero sé de algunas. Consultaré con el Alcalde porque a veces son los vecinos, a través de los Ayuntamientos, los que se niegan a la escuela mixta.

Don Germán estuvo de acuerdo. No obstante un día nos llamó a su casa. Se dirigió a un armario y extrajo un archivador con recortes de prensa ordenados por años. Nos mostró uno. Era la Carta Encíclica Divini Illius Magistri de Pío XI. En uno de los fragmentos se leía:

«No hay en la naturaleza misma que los hace diversos en el organismo, en las inclinaciones y en las aptitudes, ningún motivo para que pueda o deba haber promiscuidad y mucho menos igualdad en la formación para ambos sexos»

revolucionario para la época

—Con esto hay que contar —nos dijo— pero, por mí, adelante.

Convocamos a los pocos días a los padres y los reunimos en la escuela de Ezequiel.

Acudieron muchos pero no todos. Les explicamos nuestro plan de trabajo, la conveniencia de tener agrupados a los niños por edades y no por sexos, las ventajas para ellos, en cuanto al aprendizaje y también las que se derivan de la convivencia de niños y niñas, «como conviven en el hogar hermanos con hermanas». La reacción fue muy variada. Muchos callaban pero entre los que hablaron dos grandes tendencias se perfilaron en seguida: los que consideraban inmoral la escuela mixta y los que comprendían sus beneficios.

—Sólo les pido que esperen —dijo Ezequiel dirigiéndose a los renuentes—. Esperen un poco a ver los resultados.

Se necesitaba tiempo para advertir los logros pero las consecuencias de la decisión se vieron en seguida.

—Ya me dirá usted qué es eso de la escuela revolucionaria que usted apoya en el pueblo —le dijo el Cura a don Germán en una visita al Ayuntamiento.

Don Germán se mantuvo firme.

—Permítame que no me moleste en contradecirle y reflexione sólo un momento. ¿Cuándo le ha prohibido o dificultado el Ayuntamiento alguna de sus actividades pastorales?… Y en aspectos más privados, ¿cuándo le he reprochado yo la influencia que tiene sobre mi hija?

Por entonces Marcelina ya me había contado la historia de Eloísa.

—Ella tuvo un novio. Era francés y estaba de ingeniero en la mina, como lo había estado su abuelo. Con eso del idioma, empezó a frecuentar la casa del Alcalde; que por cierto entonces no lo era todavía porque hubo otros entre el abuelo y el padre.

»… Que si voy que si vengo, Eloísa, que era bonita y vivía un poco aislada, se enamoró del francés. Y él, para

qué decirle, loco por ella estaba. La madre le vivía por
entonces pero ya andaba enferma. Don Germán trillaba
bien con el francés y así las cosas, se ponen novios, porque eso se veía, paseaban, salían y entraban, él comía en
la casa cada sí cada no. Todos hablaban de la boda: hasta
el ajuar empezó a hacerse ella. Y por cierto de allá de
Bélgica le mandaba la abuela, que vivía todavía, encajes
y regalos. Y mire usted por dónde, como la cosa del noviazgo seguía adelante, don Germán, por pura tranquilidad, hace averiguaciones serias y resulta que el mozo
era casado, mejor dicho casado no, divorciado de su le-
gítima allá en Francia.

»Don Germán que le llama, él que responde y le dice que antes de hablar de boda pensaba él confesarle su
estado... Total que en ese ir y venir llega a la madre el
asunto y se pone a morir del gran disgusto que se lleva.
Y allí interviene el Cura que se mete por medio y le dice
a la madre... Usted verá, hija mía, piense si está dispuesta a responder a Dios cuando le diga por qué ha dejado a
su hija pecar de esa manera. Para toda la vida es este
vínculo, señora, y usted lo sabe como cristiana que es.
Usted verá si tiene la conciencia tranquila dejando a esa
hija pura y sin mancha casarse con el bígamo, que para la
Iglesia no hay divorcio y usted lo sabe...

»Para mí que allí coincidieron todos: la madre por
su fe, la hija por la madre, el padre por el miedo a em-
peorar la salud de la una y por temor también a equivocarse con la otra. Total que de lo dicho, nada, que don
Germán pidió al francés que se marchara y le ayudó a
encontrar un buen trabajo en otra mina más lejana, más
de fuera de España. Y ahí la tiene usted, para vestir santos

como quiso la madre y como el padre no se atrevió a evitar. Y ella resignada porque es de las que creen que los curas dicen siempre la verdad…

Don Germán nos llamó a su casa para informarnos de la reacción del Cura. Mientras reproducía la conversación que los dos habían tenido, Eloísa cosía ensimismada junto al balcón de la sala.

No levantó los ojos de la labor y parecía no escuchar. Su perfil destacaba a contraluz en los cristales iluminados por la luz de la Plaza. De este lado, su figura era una mancha oscura, inclinada sobre el bordado; una sombra.

Juana crecía fuerte y sana. Era una niña alegre. Tenía ya dos años y medio y parloteaba. Le gustaban las palabras. Se quedaba en suspenso cuando descubría una y la repetía hasta que le era familiar y la incorporaba a su vocabulario personal. Por la noche, antes de dormirse, repasaba bajito las nuevas palabras, las que le habían sorprendido por su sonoridad o le hacían gracia por alguna incomprensible razón. «Zapato, calamar, araña.» Seleccionaba las palabras como hacía con las piedrecitas de la orilla del río: las redondas, las picudas, las grises, las que tienen manchas. Como las piedras, las escogía y las atesoraba y las sacaba a la luz o las acariciaba en la penumbra mientras llegaba el sueño. «Arena, viento, peine.»

Juana dormía en una de las dos alcobas. En la otra dormíamos nosotros y las puertas de ambas daban al cuartito del balcón por donde entraban la luz y el aire.

Una noche me desperté bruscamente y sin saber por qué me lancé al cuarto de la niña. La cama estaba vacía.

Corrí a la cocina, volví a nuestra habitación, desperté a Ezequiel. Los dos gritamos ¡Juana! y en seguida estalló el llanto debajo de su cama. Allí, al fondo, estaba dormida hasta que oyó nuestro grito.

—Se cayó de la cama —dijo Ezequiel— y se fue deslizando, dormida, hasta la pared.

La explicación era sencilla. El incidente, nimio. Ezequiel se volvió a la cama y la niña se durmió al momento pero yo no pude dejarla sola. Me senté a su lado y apoyé la cabeza en su almohada. El sobresalto seguía allí. El sobresalto provocado esta vez por unos segundos de incertidumbre, otras veces por síntomas alarmantes, la tos, la fiebre, la enfermedad. El sobresalto era a su vez el síntoma de mi propia enfermedad, la obsesión incurable de la maternidad.

—Esto no lo entienden los hombres —dijo Marcelina cuando se lo conté—. Mire usted lo que yo tengo en casa, este hijo tan corto, tan torpe, tan imposible el hombre. ¿Qué será de él cuando yo muera? Me viene a la cabeza la idea a media noche y ya no puedo coger el sueño. Lo pienso todo: si le van a maltratar, si le van a abusar, si va a tener que pedir limosna porque los hermanos no es lo mismo, los hermanos no son los padres y cuando cada uno tenga su familia y sus hijos, ¿qué? Bueno, pues Joaquín no se desvela por eso. Duerme de un tirón toda la noche y si yo le digo: Qué envidia me das, qué buen dormir tienes, ¿qué cree que me contesta? Que si estuviera tan cansada como él también yo dormiría. ¿Qué le parece? Como si yo no trabajara…

Trabajaba. A todas horas del día. En la casa, en el huerto, en la cuadra, en el mercado donde iba a vender todos los lunes los huevos que le sobraban, las lechugas que no consumía, pequeñas cantidades de los productos que ella conseguía con esfuerzo y empeño. Era una buena mujer y me ayudó desde el primer momento. Si voy mirando hacia atrás siempre encuentro en el pasado una mujer que me ha ayudado a vivir. Con Marcelina, como antes con Regina, pasó Juana al principio el tiempo que yo estaba en la clase, o cuando salía rara vez, en alguna ocasión inevitable. Porque mi vida se desarrollaba en torno a la niña y a la escuela. Hasta la casa y sus labores eran un descanso para mí comparado con las otras dos dedicaciones.

—Que a usted también le pasa que trabaja de más —refunfuñaba a veces Marcelina—. Quiera que no, tiene usted una escuela como él. Pero ¿quién cocina, quién lava, quién plancha, quién brega con la niña? Que a él bien le veo yo de sube y baja a la Plaza y a la mina. Ya sólo le faltaba a usted la amistad que ha cogido con el maestro ese de arriba que, por cierto, me ha dicho mi Joaquín que ese muchacho tiene buena cabeza y muy buena voluntad pero que va a tener un disgusto con los de la Compañía. Porque oiga usted, no hay asunto minero en que él no opine, en lo del sindicato y esas cosas. Y dice mi Joaquín que mucho ojo no vaya a ser que un día le pongan de patitas en la calle…

Yo me reía de las acusaciones que Marcelina solía verter sobre los hombres. Me daba cuenta de la razón que le asistía pero trataba de calmarla.

—Todo eso es verdad. Pero dígame usted, Marcelina, ¿qué nos pasa a las mujeres que nos echamos encima más de lo que debemos? Yo no podría dejarle a Ezequiel la niña y subir a la Plaza a charlar con las amigas. Sé que sería justo pero no podría, no me fiaría, no me interesaría. Ser madre es una gloria y una condena al mismo tiempo, me lo ha oído usted más de una vez.

Marcelina no se calmaba. Sus argumentos eran una continua reflexión basada en el sentido común, un análisis elemental apoyado en la observación y la experiencia. Yo la comprendía. Había luchado por imbuir a las mujeres en mis clases de adultos la conciencia de sus derechos. Y sin embargo, ahora me veía atrapada en mi propia limitación. Marcelina parecía entenderlo y me miraba de reojo, malhumorada pero con una inflexión de ternura en la voz al decirme:

—Ustedes, las que han estudiado, mucho predicar pero a la hora de dar trigo, ¿qué? Ni trigo ni ejemplo ni nada. ¡Pobres mujeres!

Inés, la mujer de Domingo, hablaba del problema en otros términos. Ella me dio a leer varios libros sobre la mujer. Desde uno que había causado sensación sobre la libertad de concepción hasta otros, políticos, en los que se enardecía a las lectoras para que reclamaran un papel digno en la sociedad frente a sus opresores, los hombres.

—Yo sólo puedo decirte que de hijos, nada de momento —decía Inés—. Porque ¿quién me dice a mí que Domingo y yo vamos a seguir juntos toda la vida?

Tenía razón. Una sorda zozobra me atormentaba cuando surgían esos temas. Yo, que había sido avanzada en mis ideas educativas, sin embargo me atenía en mi vida privada al esquema tradicional: un matrimonio es para toda la vida, un hijo es un grave obstáculo para el divorcio. Educada por mis padres sin frenos religiosos estaba condicionada, sin embargo, con el ejemplo de su conducta, que de forma tácita contradecía la educación libre que pretendían haberme dado. La libertad está en la cabeza, solía decir mi padre. Y era cierto. Pero un fuerte entramado de actitudes, opiniones, puntos de vista, se levantaban entre esa libertad y mi forma de actuar. Libertad de pensamiento sí. Pero es peligroso traspasar, en favor de esa libertad, los eternos tabúes que rigen la dualidad malo-bueno, propio-impropio. Impropio de mí hubiera sido, para mis padres, que yo un día pusiera en duda la fortaleza de mi matrimonio.

La zozobra y la desazón derivaban, después de las reflexiones teóricas, hacia otros rumbos. Por escondidos recovecos, el corazón y la memoria me conducían a un pasado no tan lejano. La aventura de Guinea. Ése sí hubiera sido un camino para la libertad. Todo lo que vino después me había ido llevando hasta esta Gabriela que yo era sin remedio, buena esposa, buena madre, buena ciudadana. La trampa se cerraba sobre mí.

Las madreñas las traían los asturianos los días que había mercado importante, en el pueblo del otro lado del río. Era un pueblo ganadero y agrícola que marcaba en cierto modo la última frontera con la meseta. A ese mercado acudían los artesanos del otro lado del Puerto. Venían con sus mulas cargadas de yugos, bieldos, madreñas y lo cambiaban por los productos leoneses, alubias, garbanzos, lentejas. El mercado se instalaba en una gran pradera delante de la ermita, a las afueras del pueblo. De aquel pueblo había venido a Los Valles Marcelina.

—Un día nos vamos con la niña a verlo, verá qué bonito. En casa de mis padres paran los tratantes.

Y allá nos fuimos. Fue un día muy alegre. En el mercado compramos baratijas para Juana que estaba muy excitada. Pero la mejor compra fueron las madreñas, unas para mí y otras, pequeñitas, para la niña.

Cuando más adelante cayeron las primeras nieves, las estrenamos. Fue una nevada anticipada que puso fin al otoño. La nieve ennegreció rápidamente. Las calles, con su empedrado desigual, se llenaron de charcos sucios. La chapa de la cocina estaba al rojo vivo. Dejábamos la puerta abierta para que se calentara toda la casa. Pero el lugar más confortable era aquél, junto al calor vivísimo que se desprendía del carbón. Las cazuelas borboteaban en la lumbre. Siempre había una con agua caliente. Para hacer una manzanilla, para añadir a un guiso. El olor de la comida que se hacía lentamente, el vaho que se desprendía de las cazuelas, aumentaba la sensación de bienestar. Fuera, a través de los cristales la calle era sólo una amenaza en blanco y negro.

Ezequiel entró sacudiéndose la pelliza húmeda. Dejó sobre la mesa un periódico. Lo extendió ante mis ojos y dijo:

—Aquí tienes el resultado final. El desastre final…

«La derecha, triunfadora absoluta…» «La desunión de la izquierda.» «Casas Viejas…» «La profundización de la crisis económica…» «Las alianzas obreras

181

ponen de manifiesto la conjunción de sus esfuerzos para ir contra el enemigo común: el capitalismo.» Se cogía la cabeza entre las manos. Yo traté de calmarle.

—Esto son sólo unas elecciones. Ya vendrán otras con otros resultados...

—Vendrán otras pero esto es muy mal síntoma. La República ha perdido una batalla muy importante. Ya lo verás...

Cenó de prisa. No terminó la sopa de ajo que humeaba dentro del cazuelo de barro. Se acercó a ver si la niña estaba bien tapada. Regresó a la cocina.

—Juana duerme —dijo—. Juana, Juanita. Vas a necesitar el valor de Juana de Arco para vivir en este país.

De pronto dijo:

—Me marcho otra vez. Estoy nervioso. Subo a la Plaza a ver a don Germán y a Domingo que van a reunirse con otros amigos en la rebotica de don Luis para oír la radio.

—No tardes —murmuré.

Recogí la cocina, fregué los cacharros, me puse a corregir los cuadernos de mis niños. Sobre una silla esperaban los de Ezequiel hasta que, a su llegada, los fuera repasando uno por uno, cuidadosamente, como todas las noches.

De los tres hijos de Marcelina, dos asistían a la escuela de Ezequiel: el más pequeño y el mayor, Mateo, el que sufría una disminución considerable de sus facultades. En cuanto a este muchacho Ezequiel había hablado con los padres para exponerles su punto de vista.

—Debe asistir a la escuela. Yo trataré de ocuparme lo más posible de él. Pero eso no es suficiente. Hay que pensar en buscarle un lugar donde pueda aprender un oficio por sencillo que sea…

El padre consiguió un taller mecánico donde iría dos horas por la tarde. Lo utilizarían para pequeñas tareas a la vez que aprendía lo más elemental. De ese modo tendría la mañana libre para asistir a las clases. Con la nueva distribución que la Inspección había autorizado, los más pequeños de Ezequiel eran los niños y niñas de diez años y Mateo se situó entre ellos, en los primeros bancos, cerca de su hermano.

El primer día Ezequiel habló a los chicos de la situación de Mateo dentro de la clase, del tiempo perdido por su enfermedad y les pidió ayuda y comprensión para él.

Sólo algunos entre los adolescentes se dieron codazos y hacían gestos de burla al nuevo alumno. Pero la mayoría reaccionó muy bien, especialmente las niñas, que le acogieron desde el principio con cariño.

Para el hermano fue difícil. Se sentía a la vez cohibido y responsable y oscilaba entre la violenta necesidad de ayudar a Mateo y la humillación de aceptar a un hermano mayor cuya conducta era la de un chico pequeño.

Cada día Ezequiel preparaba un trabajo especial para Mateo. Trató de reconstruir las etapas perdidas. Se las ingeniaba para hacerle entender el valor de los símbolos, las letras, las palabras, los números. Pero no podía dedicarle mucho tiempo. Mateo permanecía silencioso escuchando las explicaciones de Ezequiel, tratando de comprender el interés que mostraban los otros. Sumergido en una nebulosa que lo aislaba de todo, a veces agitaba los brazos como si quisiera apartar de sí las brumas que envolvían su cerebro.

—Se concentra patéticamente —me decía Ezequiel—, se queda con la boca abierta tratando de seguir el hilo, pero no puede. Entonces es cuando hace esos movimientos de aspas de molino con los brazos…

Mateo necesitaba una atención individual que Ezequiel apenas podía dedicarle, de modo que yo decidí hacerme cargo de él un rato cada día a la salida de la escuela. Aquélla fue una buena solución y poco a poco observamos los dos los progresos lentísimos pero evidentes del muchacho. Por otra parte, la vida en el grupo le estimulaba mucho. Sus relaciones con los demás eran buenas porque finalmente todos le habían aceptado tal como era.

Los niños le habían aceptado pero algunos padres, no. En seguida llegaron las quejas.

—Que dice mi chico que Mateo no le deja atender, que le distrae…

—Que Mateo no deja ver a mi hija porque es más alto que ella y le tapa el pizarrón.

—Que Mateo le quita a mi hijo la goma y los pizarrines.

—Que decíamos los padres de los sanos que por qué tiene que ir un tonto con los nuestros que son normales.

Ezequiel escuchaba y contestaba pacientemente tratando de vencer el recelo y la ignorancia y el egoísmo de los padres.

No esgrimía argumentos humanitarios. Prefería aludir a la justicia.

—La escuela es del Estado, la paga el Estado y eso quiere decir que es de todos, los listos y los tontos, los aplicados y los vagos. Todos tienen derecho a recibir una buena educación. Y como aquí no hay centros especiales, Mateo vendrá a éste, que es el único que puede recibirle. Lo que me extraña es que no lo hayan aceptado en la escuela antes de ahora porque es un buen alumno que no crea problemas en clase.

De aquellos argumentos, de aquella imposición difícil de rebatir, surgieron en algunos padres resentimientos contra Ezequiel, odios que, temía yo, algún día podrían desencadenar ataques personales, desavenencias y amarguras.

Se acercaba la Navidad. Los días se sucedían con la monótona frialdad del invierno. Yo apenas salía de casa. Bajaba a la escuela. Subía a la cocina. Tenía una chiquilla lista y educada que cuidaba a mi hija mientras yo trabajaba. Era hija de un minero que había muerto en la mina y su madre necesitaba la ayuda de los hijos mayores para sacar adelante a los pequeños. Esta niña de quince años acabó siendo también alumna mía fuera de horas, lo mismo que Mateo. Era inteligente y captaba rápidamente lo que leía, lo que le explicaba. Le gustaba hablar conmigo. Muchos días tenía que acabar obligándola a marchar porque se encontraba feliz con nosotros. Juana la quería mucho. Mila, Mila, decía, y así Emilia adoptó el nuevo nombre como suyo para siempre.

A través de Mila comprendí muchas cosas de la mina. Yo evitaba preguntarle pero ella contaba con espontaneidad anécdotas de su vida en el poblado minero.

—Mi padre era asturiano pero le ofrecieron este trabajo aquí y le convino más —me contó un día—. Por eso se vino y luego conoció a mi madre y aquí se quedó. Mi abuelo también era minero allá en Asturias. Ya está retirado de la mina pero está muy enfermo. Como todos, de aquí —y se señalaba el pecho.

Hacía reflexiones ingenuas y sensatas sobre todo lo que veía a su alrededor.

—El minero bebe mucho. Todos los días a la taberna. Pero yo lo entiendo, doña Gabriela. Siempre allá abajo enterrados y luego cuando salen, les parece que resucitan. Eso decía mi padre: Otro día que resucito...

Se quedaba pensativa y yo trataba de distraer su atención de aquel último día en que el padre no subió más. Pero notaba que ella quería hablar, necesitaba compartir con alguien lo que sentía.

En voz alta recordaba y también proyectaba su futuro.

—Si no llega a morir mi padre yo salgo de esto, yo me voy a estudiar a León o a Oviedo con mis abuelos, que ya lo tenía él bien pensado. Yo era la única que quería hacer estudios, maestra me gustaba. Todavía si puedo, algún día lo haré... —y sonreía esperando el milagro.

—Pero no hay milagros cuando no se quieren hacer —dijo Domingo cuando le hablamos de Mila—. La Compañía no tiene interés en ayudar a los hijos de los mineros. Y menos los que no le van a servir para nada. Distinto sería si se tratase de mejorar a un técnico para sacarle más partido...

La formación del nuevo Gobierno a mediados de diciembre, la agitación política subsiguiente al triunfo de las derechas y el descontento social entre los obreros se reflejaban en un pueblo minero de forma muy especial.

La atmósfera se había transformado. A pesar de que llevábamos poco tiempo viviendo en Los Valles, pudimos percibir la intensidad de los cambios. Sobre todo en la parte alta, aquella zona viva y despierta del pueblo industrial. La parte baja, la de nuestras escuelas, estaba habitada por campesinos y artesanos modestos que vivían pasivamente las fluctuaciones de la política. Eran dos mundos como nos había advertido don Germán. Por las reacciones de los padres de nuestros alumnos, ya habíamos observado que el nuestro respondía a las características de los pueblos agrícolas: era apático, atrasado, fácil de mantener controlado dentro de unos límites.

—Aquí abajo manda el Cura, allá arriba el Gobierno —había resumido Marcelina.

Ahora, con las Navidades cercanas, la Plaza y sus alrededores eran un hervidero. Los de arriba y los de abajo contemplaban en los escaparates los alimentos, las bebidas y los juguetes que se mezclaban en las tiendas de ultramarinos. La calle estaba llena de gente a pesar del frío. Pero se notaba que no era sólo la preparación de la fiesta. Había una corriente de nerviosismo. Los rumores se multiplicaban y los pequeños incidentes corrían de boca en boca.

«… Ayer el Cura dijo en un sermón que ya era hora de que España tuviera un Gobierno cristiano. Hubo quien se levantó y se marchó.» «… A don Germán le tiraron una bola de nieve con una piedra dentro, derechita le iba pero sólo le rozó el gabán.» «… Al médico de la mina le agarraron entre cuatro mineros y le querían pegar porque dio de alta antes de tiempo a un compañero enfermo.» «… Dicen que van a despedir al que se mueva.» «… En el bar Grisú los mineros rompieron el mostrador y engancharon a Anselmo, el meapilas ese…»

Ezequiel estaba inquieto y subía a la Plaza todas las tardes. Quería respirar el aire de la gente, observar sus rostros, escuchar sus ácidas protestas. Necesitaba estar informado de los sucesos políticos al momento. Eso sólo era posible a través de la radio. Recalaba a última hora en la Farmacia y se unía al grupo de fervorosos republicanos que con don Germán al frente bebían las noticias de Madrid. Regresaba a casa helado y taciturno.

—He pensado —se me ocurrió decir un día— que debíamos comprar una radio. Además de noticias oiríamos música, teatro; hay hasta programas para niños…

A Ezequiel le pareció bien la idea y el mismo día que dimos las vacaciones cogió el coche de línea a León. Domingo, que viajaba con frecuencia a la ciudad, le acompañó.

—Yo sé dónde la puedes encontrar.

Al otro día regresaron con la radio. Quedó instalada en una esquina de la cocina, sobre un estante triangular que preparó Joaquín, el marido de Marcelina.

Desde ese instante la radio se convirtió en un objeto importante en nuestra existencia. Y no sólo para nosotros. También la familia de Marcelina y las mujeres de las casas cercanas nos pedían en un momento u otro la oportunidad de oírla.

A través de la rejilla rematada con juncos de madera surgían voces que nos ponían en contacto con un mundo lejano. Aquel cajón de madera torneada nos compensó con creces del precio que pagamos por él. No obstante, Ezequiel siguió subiendo a la Plaza todas las tardes. En la compañía de los otros buscaba alivio a sus inquietudes y asistía al nacimiento de otras nuevas, cada día.

—Por la República —brindó don Germán.

1934 acababa de nacer entre cantos y gritos. En la Plaza, panderos, tambores, carracas, los mil y un instrumentos capaces de hacer ruido, acompañaban a las gentes del pueblo.

—Por la paz —brindó Eloísa.

—Por la rebeldía —brindó Inés.

Se veía que había estado bebiendo antes de la cena. Le brillaban los ojos y hubo un punto de impertinencia o de provocación en su réplica a Eloísa.

—Por los compañeros —brindó Domingo y señaló con la copa un amplio círculo en el que parecía abarcar a todos, presentes o lejanos.

Ezequiel bebía poco. Domingo le empujaba.

—Que no se diga, Ezequiel. Brinda por algo y bébete la copa de un trago. Si no, no vale el brindis.

Ezequiel sonrió y noté que hacía un gran esfuerzo por sumarse al contento de los demás.

—Yo brindo —dijo— por el sueño que tuvimos y que duró tan poco.

Ahora me tocaba a mí. Había esperado mi turno, decidida desde el principio a ser la última. Un sinfín de emociones se me enredaban en la garganta.

—Yo brindo por el futuro —dije.

En ese futuro cabía todo lo que anhelábamos. Era un futuro incierto pero majestuoso en su imprevisible desarrollo; dudoso pero capaz de cambiar los minutos venideros.

Luego todos dijimos: por nosotros. Y en las breves palabras hice un hueco para Juana y mis padres y un fantasma perdido en una isla africana.

Aquella Nochevieja quedó grabada en mi memoria con la marca indeleble de la aflicción. No bien habíamos llegado a casa después de festejar el Año Nuevo, cuando llamó a la puerta Marcelina. Traía a la niña en brazos, dormida y envuelta en una manta.

—Se la traigo —dijo— porque Joaquín se ha puesto malo y no quiero que la niña se despierte con el movimiento de casa que traemos. Y perdonen que no cumpla con ustedes que bien lo siento.

Me sentí avergonzada por la delicadeza de Marcelina. No sólo había cuidado de nuestra niña sino que se disculpaba por devolvérnosla antes de la mañana como habíamos acordado.

No bien acomodé a la niña en su cama dejé a Ezequiel cuidando su sueño y pasé a casa de Marcelina. Joaquín yacía en la cama matrimonial, enrojecido por la fiebre. No abría los ojos y de vez en cuando le sacudía un escalofrío.

—Está así desde las doce. Empezó de repente a decir que estaba malo y no hubo forma de que aguantara hasta las uvas que ya estaba Mateo preparado para golpear las horas en la sartén. Y él que se encontraba muy mal y yo que esperara un poco… Pero sin más se vino hacia la cama y vestido y todo, como estaba, se tiró en ella. Entre todos tuvimos que desvestirle. Y ahí lo tiene comido de la calentura…

Traté de tranquilizarla y sugerí que fuera Ezequiel a buscar al médico.

—Un día como hoy —se lamentó Marcelina.

Pero accedió y una hora más tarde llegó el médico de la mina, que en cuanto le auscultó diagnosticó que Joaquín era víctima de una pulmonía aguda que, «claro», añadió, «encima de lo que él tiene…».

Pero Marcelina no sabía lo que él tenía y tuvo que aclarárselo el doctor, molesto por la ignorancia de ella y por su propia indiscreción.

—Lo que él tiene, mujer, es lo de muchos, manchas aquí y allá. Pero de ésta le doy la baja indefinida y luego que le tramiten la jubilación anticipada…

El resto de la noche la pasamos acompañando al enfermo y su familia. Los ratos en que Ezequiel me relevaba los pasé en casa sentada junto a la cama de la niña dormida. Por mi imaginación desfilaban fragmentos desordenados de la noche.

La reserva de don Germán ante las afirmaciones exaltadas de Domingo: «Hay que pasar a la acción. Los socialistas no pueden permanecer indiferentes».

La actitud de Inés zahiriendo a Eloísa: «El voto de las mujeres, ahí está el error. Las mujeres votan lo que les mandan los curas».

La silenciosa presencia de Ezequiel que evitaba tomar parte en el reto.

Yo, tratando de reavivar las conversaciones, alabando la cena y la amabilidad de nuestros anfitriones. Yo, como siempre, buscando el equilibrio y la armonía, sintiéndome desesperadamente responsable no sólo de Ezequiel sino de Domingo e Inés.

El regreso a casa con Ezequiel que a instancias mías aclaró su postura: «No estoy de acuerdo con la forma de atacar a don Germán, pero sí creo que la República está destruyendo el socialismo». Y la llegada con Marcelina esperándonos, la gravedad de Joaquín…

Repicaron las campanas de la primera Misa de la mañana. Ezequiel abrió la puerta y me sobresaltó. Me había quedado dormida y me dolía la espalda.

Pasadas las Navidades el invierno se endureció. Las heladas seguían a las nevadas de modo que era difícil andar por la calle sin exponerse a frecuentes resbalones. Recluidos en la cocina oíamos la radio, trabajábamos, jugábamos con la niña, recibíamos visitas. Una tarde se presentó Domingo muy agitado: «Me marcho a León», dijo, «vamos a organizar un frente de maestros, me han citado con urgencia. Mira esto». Y tendió a Ezequiel una revista que él leyó. Luego me la pasó.

«Se habla de un Frente Único y de una actuación pública en mítines. Pero eso no basta. Es preciso que el Magisterio unido dé la impresión de su fuerza por los cauces normales de la vida política haciendo presión sobre los diputados y los partidos, que cada día tienen que contar más con la opinión pública.»

—Decídete —estaba diciendo Domingo—. La República ha perdido aquel primer aliento con que inició la política pedagógica. Tenemos que luchar para recuperarlo, para obligar a actuar a los que pueden hacerlo.

Ezequiel meditaba en silencio. Al fin dijo:

—Ya me informarás. De momento no veo claro nada, dudo de casi todo.

El pesimismo que destilaban las palabras de Ezequiel me impulsó a hablar con él seriamente. En los últimos tiempos se había vuelto huidizo, vivía encerrado en sí mismo. En cuanto a mí, la atención a la niña, el trabajo, las visitas a Marcelina y Joaquín que se recuperaba lentamente, me tenían ocupada. Hasta la introducción de la radio en casa había ido reduciendo las oportunidades de charlar que antes teníamos. O quizás éramos nosotros mismos los que evitábamos adentrarnos por terrenos poco firmes. Lo cierto es que, desde las elecciones de noviembre, Ezequiel había cambiado. Seguía trabajando con el mismo interés en la escuela, pero había perdido la capacidad de proyectar. Me parecían muy lejanos los días del embarazo, cuando hacíamos planes para nuestro futuro y el futuro del hijo que iba a nacer. Aquellos planes se vieron estimulados por el entusiasmo que la República sembraba en el Magisterio. Sin embargo, ahora asistíamos a una parálisis general de todo lo prometido.

—¿Qué opinas de ese Frente Único? —pregunté sin más preámbulos en cuanto recogí la mesa de la cena.

Ezequiel tardó en contestar y al final fue evasivo en su respuesta.

—Todavía no veo claro el papel de ese Frente que quieren formar con tanta asociación neutra o derechista. Estoy convencido de que hay que reclamar lo que nos prometieron. Pero no sé si el Frente Único podrá hacer algo por las buenas. No sé si las conversaciones y los mítines sirven para resolver los problemas.

No quiso hablar más y aunque me esforcé por sacarle de su mutismo no conseguí nada.

Una cadena de días borrosos fue arrastrando el invierno hacia la primavera. En marzo llovió mucho. Exactamente encima de la cama de Juana había una gotera. Las heladas y la nieve habían removido el tejado pero hubo que esperar a que cesara la lluvia para subir a repararlo. De momento trasladamos la cama de la niña a nuestro cuarto y allí dormíamos los tres sin apenas espacio para entrar en las camas, que se encajaban entre la puerta y la pared.

Yo había caído en una indiferencia defensiva que me protegía del clima y de la pesarosa actitud de Ezequiel. Algunas veces recordaba con nostalgia los días pasados en Castrillo. El nacimiento de mi hija y la llegada de la República, las Misiones, Regina y Amadeo. Aunque sólo habían transcurrido unos meses, todo volvía a mi memoria como si de algo muy lejano se tratara. Me sorprendí a mí misma diciéndome: «Cuando éramos felices», al evocar aquellos cercanos días.

Con el primer anuncio de la primavera volvimos a pasear por el bosque. La tierra rezumaba humedad. La hierba estaba fresca y bajo los árboles se arracimaban las setas. Los helechos jóvenes cubrían de una mullida alfombra la umbría. Amparados por los árboles extendían sus hojas rizadas sobre la tierra. Los campesinos los destinaban a usos domésticos: envolvían con ellos los rollos de mantequilla casera, los colocaban en el fondo del cesto de los pescadores, para proteger las truchas. A orillas de los manantiales cogíamos berros. Al regresar hacíamos ensaladas que nos dejaban en la boca un sabor fresco y ácido. A veces encontrábamos fresas salvajes asomando entre hojas oscuras y aterciopeladas. Con frecuencia nos acompañaba Mila, que conocía hasta el último rincón del bosque. «Mira», le decía a Juana, «en este árbol encontré un día un nido con cinco huevos. Estaba medio caído. La madre lo había aborrecido por alguna causa». O bien: «Debajo de esta seta vivía un enanito. Se marchó a otro bosque más caliente cuando llegó el invierno pero cualquier día volverá».

En el prado de nuestra casa también había brotado la primavera. Margaritas, prímulas, azulinas, erguían al sol sus pétalos sedosos. Juana perseguía mariposas blancas y otras de alas anaranjadas y azules, marrones y amarillas.

La primavera nos alegró a todos. Sentíamos la derrota del invierno en cada rayo de sol, en cada soplo de brisa cálido, en las frondosas copas de los árboles habitados por pájaros bulliciosos.

Un día, poco antes de Semana Santa, al salir de la escuela me quedé un instante contemplando los juegos de los rezagados. Los días alargaban poco a poco y los niños aprovechaban la luz para prolongar su actividad. Saltaban excitados con la energía de sus cuerpos jóvenes y de pronto se quedaban quietos, abstraídos en un rapto de ensoñación o pereza.

Estaba a punto de subir la escalera cuando vi a una mujer que avanzaba por el patio. Me detuve y la mujer, temerosa quizás de no alcanzarme a tiempo, empezó a hablar antes de llegar a mi altura.

—Señora maestra, soy la madre de Aurelia —dijo. Y reconocí en su rostro ajado los rasgos de una de mis alumnas.

—Está enferma —continuó— y tardará en volver porque le ha cogido el tifus.

Se detuvo asustada de sus palabras, como si esperara ver los efectos de su inquietud reflejados en mí.

Me mostré consternada y pronuncié palabras de ánimo pero la mujer no se marchaba. Al fin volvió a hablar de prisa, queriendo terminar cuanto antes lo que tenía que decir.

—Me ha dicho el médico que hay que darle baños para que le bajen esas calenturas que le abrasan… y decía yo que si usted me podría prestar la bañera esa que me han dicho que tienen para bañar a su hija…

Era una bañera de cinc. La tenía instalada en la cocina con un tablero de madera encima que servía de banco cuando no se usaba.

La mujer se llevó la bañera y Aurelia tardó un mes en volver a la escuela. Había crecido mucho, tenía el pelo cortado al rape y estaba enflaquecida y ojerosa. Se acercó a mi mesa y me dijo: «Un día de éstos le traerán la bañera, que ya no la necesitamos».

—No, de ninguna manera —exclamé espantada.

Y añadí tratando de sonreír:

—No te preocupes, dile a tu madre que me han traído otra y ya no la necesito.

Sentí que me ruborizaba hasta la raíz del pelo de vergüenza y de pena.

De la Plaza de castaños hacia arriba empezaba el territorio de las minas. La carretera bordeaba el poblado de los mineros, agazapado tras unas tapias bajas que acotaban un espacio baldío delante de las casas. Las viviendas eran blancas pero el tiempo había dejado en ellas desconchones ennegrecidos por el polvo del carbón.

Rebasado el poblado de los mineros, estaba la colonia de los ingenieros con sus chalets y sus jardines cercados por una sólida verja rematada por agujas doradas. Las casas de los ingenieros también sufrían la agresión del carbón y el resultado era una sombra grisácea que borraba el esplendor de los parterres, el rojo del ladrillo, el verdor de la yedra trepando escuálida por las paredes.

La mina había perforado los montes más allá de los poblados.

Una red de vagonetas transportaba el carbón por el ferrocarril de la Compañía hasta el río donde las vías se curvaban y seguían, paralelas a la corriente, hasta enlazar al fin con la red nacional.

Entre las dos agrupaciones de viviendas se levantaban las escuelas mineras.

—La de doña Inés es ésta, la que tiene las ventanas abiertas —dijo Mila. Y se despidió de mí con un cariñoso ofrecimiento.

—Si le sobra tiempo ya le he enseñado nuestra casa.

Estábamos en plenas vacaciones de Semana Santa. Inés me había pedido ayuda para preparar con sus alumnas un acto cultural para el 1 de Mayo.

«Cultural, cultural», había dicho. «Así nadie podrá decirme que hago política en la escuela.»

Me ofrecí a prestarle libros, pero ella insistió: «Me gustaría que vinieras y así ves a las niñas a ver qué podemos hacer con ellas».

De modo que dejé a Ezequiel al cuidado de Juana y subí hasta el poblado con Mila. Por el camino me fue hablando de Inés.

—Doña Inés me dio clases de pequeña, recién llegada aquí. Pero a mi padre no le gustaba.

—¿Por qué? —pregunté yo.

—Porque decían por aquí que vivía con don Domingo antes de casarse y eso no está bien por el mal ejemplo que nos daba… Mi madre dice que eso no era probado pero la gente habla y habla por los codos.

Llamé a la puerta y me abrió Inés. La escuela estaba llena como en un día de clase. En el estrado de la maestra, presidía una bandera de la República clavada en un tiesto y a su lado una niña, de pie, leía en voz alta. Inés me indicó un lugar para que me sentara. La niña se había interrumpido un instante pero continuó con voz vibrante.

—… y por eso, queridos compañeros, yo os pido en este día del Trabajo que os unáis todos formando un frente común contra los explotadores de nuestros padres, contra los que impiden que los hijos de los mineros…

Cuando terminó su discurso todas las niñas aplaudieron e Inés pidió calma con las manos.

—Quiero que conozcáis —dijo— a la maestra de la escuela de abajo… Ella va a ayudarnos a preparar la fiesta.

Les leí algunas de las poesías que había seleccionado, les expliqué las posibilidades de representar un entremés, un paso o un romance. Se mostraron interesadas e hicieron comentarios inteligentes. Me parecieron más despiertas que mis alumnas.

—Muchas han vivido en otros pueblos —me dijo Inés—. Se han movido más y, sobre todo, los mineros son más rebeldes que los campesinos.

Al llegar a casa le dije a Ezequiel:

—No sé cómo resultará el acto cultural, pero Inés parece dispuesta a organizar también un acto político —y le repetí las palabras de la presentadora de la fiesta. Ezequiel no replicó—. Yo no creo que haya que politizar a los niños —continué—. Creo que hay que educarlos para que sean libres, para que sepan elegir por sí mismos cuando sean adultos.

Antes de contestar Ezequiel buscó las palabras con calma, tratando de encontrar las que mejor expresaran su opinión.

—Tienes razón —dijo—. Yo creo sobre todo en la educación. Pero también entiendo a los que tienen prisa.

Porque tengo miedo de que no nos den tiempo suficiente para educar…

Aquella noche Ezequiel subió a la Plaza. Puse la radio para oír las noticias. Entre otras, se habló de las protestas que habían organizado en Madrid los maestros, por no cobrar el suplemento de casa ni la pequeña cantidad que debían recibir por las clases de adultos. Según la radio, la policía y los guardias de seguridad habían disuelto por la fuerza a un grupo de manifestantes reunidos en el patio del Ministerio de Instrucción Pública. Hubo detenciones, cristales rotos, «los maestros», resumía el locutor, «están indignados».

El buen tiempo encontró a don Germán muy decaído. La firmeza de su paso había disminuido. Se detenía a veces en medio del paseo y respiraba hondo como si necesitara reponer energías. El primero de Mayo fue a la Casa del Pueblo, ocupó un lugar de honor, escuchó los discursos, las acusaciones vertidas contra el Gobierno, los himnos coreados por los asistentes.

Fue testigo de la tensión enfebrecida de las gentes de la mina y de algunos otros que coincidían con los mineros en la indignación y la protesta.

Yo le observaba y noté que todo el tiempo mantenía la barbilla escondida en el pecho, la cabeza baja como si meditara en lo que oía. Sólo durante el acto cultural había sonreído con la entonación teatral de los niños que recitaban.

Al terminar el mitin la gente se dirigió hacia la Plaza y allí siguió reunida, esperando que alguien iniciase un gesto, un ademán de invitación a una acción nueva. No parecían cansados a pesar de la excursión y la comida en el campo y el regreso entre cánticos y gritos para llegar a los actos de la Casa del Pueblo. Pero nadie propició la escaramuza y se fueron dispersando. Don Germán se retiró del brazo de su hija que le esperaba fuera.

Caminaban despacio y se perdieron entre la gente.

—No está bien —dije a Ezequiel cuando volvíamos a casa—. Parece enfermo.

—¿Quién? —preguntó él.

—Don Germán. ¿Tú no lo has notado?

Movió la cabeza negativamente.

Parecía que hubiera estado ausente, atento sólo al clamor de las voces unidas, al matiz de los gritos lanzados al aire y repetidos hasta la saciedad.

—Pero yo no vi odio. No se movían por el odio. Era sólo la alegría de la fiesta —dijo—. Hasta en los gritos de indignación faltaba odio.

El odio apareció más adelante. Era el día del Corpus. Sólo unos pocos seguían el cortejo que atravesó la Plaza para entrar en la Iglesia. Detrás del Cura y sus acólitos iban niños y niñas vestidos de Primera Comunión. Después marchaban las mujeres con sus velas encendidas.

Eloísa iba al frente de una de las dos filas. Marchaban y cantaban:

Cantemos al amor de los amores
cantemos al Señor…

En algunas ventanas había gente asomada. En la calle se formaron pequeños grupos silenciosos que contemplaban la procesión.

De pronto, una piedra surgió nadie sabe de dónde y golpeó la mano de Eloísa. Marcelina lo vio. Me lo contó con todo lujo de detalles.

—Yo creo que iba derecha a la vela pero dio en la mano y el cirio se vino abajo; una mujer gritó y, mientras, Eloísa se sujetaba con la sana la mano dolorida. En eso vuela otra piedra y ésta sí que se vio venir, venía de la calleja que va a parar a la parte de atrás de la colonia, donde hay tanta taberna y tanta desvergüenza. Y luego otra y otra, una manera de apedrear que todo el mundo echó a correr. Unas tiraban las velas, otras las llevaban cogidas bien fuertes. Los niños lloraban solitos en medio de la Plaza, la media docena de ellos, que no eran más, pobrecitos tan blanquitos con sus cruces de oro y sus tirabuzones… ¿El Cura? El Cura entró corriendo a la Iglesia para guardar cuanto antes el cáliz con las hostias. Que no es por nada, pero digo yo que mezclar la política con la religión qué mal asunto… Y la mina ya se sabe. La gente de la mina es violenta y vive en mucho peligro. Se acuerda usted de la canción aquella que dice que a la mujer del minero la pueden llamar viuda. Eso es verdad porque lo veo yo todos los días y usted también lo ve que en el barrio de abajo hay mucho minero campesino, como mi Joaquín, mineros que no viven en la mina. Pero los que viven ahí, encerrados entre ellos la mayor parte del tiempo, se envenenan unos a otros, ya sabe…

Continuaba Marcelina su exuberante charla, y ya estaba yo preguntándome cuáles iban a ser las consecuencias del golpe a Eloísa, inicio del ataque que sobrevino después.

—No es posible la violencia. Nunca la violencia —dije.

Pero Marcelina seguía desgranando su relato con los brazos cruzados sobre el pecho sin decidirse a entrar en casa, detenidas las dos ante la escuela vacía.

—Nunca la violencia —repetí.

Ella dejó de hablar por un momento. Reparó en mis palabras y dijo:

—Es verdad. Las cosas no se arreglan a pedradas. Y encima el año que menos gente había. No sé si usted se ha dado cuenta de que ni delante de las casas hay flores amarillas, como en otros años que era una alfombra todo, al paso del Señor. Tengo yo ido con mi Mateo a pelar escobas por el monte y era una gloria verlas cubriendo las calles. Se lo digo a Joaquín, que es renegado para eso de los curas: Pero, Joaquín, si es lo que hemos oído en nuestras casas. Si tu madre te enseñó a persignarte, ¿vas a olvidar eso?, ¿vas a empezar a pedradas con eso?…

Caía la tarde cuando Ezequiel bajó sofocado por el calor y los acontecimientos.

—No ha sido nadie conocido. Nadie se responsabiliza. Unos salvajes, pero no obedecían a nadie. Nadie ha mandado ese disparate —se sentó y se calmó. Luego se me quedó mirando a los ojos, fijamente—. Una mala noticia —dijo—. Don Germán está grave. Le ha dado algo de corazón a consecuencia del susto. A consecuencia creo yo de otras muchas cosas. No es tan viejo pero le va a matar antes de tiempo su República…

Aquella primavera, aquel verano han quedado grabados en mi memoria casi día a día. Me pregunto en mis noches de insomnio: ¿Cuándo empezó todo? ¿En qué momento advertí que Ezequiel abandonaba su independencia, su entrega a la educación para entregarse a una lucha más extensa?

No fue un día concreto. Su cambio no está vinculado a un hecho especial. Me parece que fue un proceso lento que se desarrolló de forma paralela a la marcha de los acontecimientos históricos que nos tocó vivir.

La incapacidad de la República para llevar adelante las grandes promesas de su primer año le había hundido en el desencanto y la decepción. Pero fue nuestro traslado al pueblo minero y su contacto con personas y situaciones vinculadas a la política lo que le llevó al compromiso. Todas las humillaciones, las ofensas, las limitaciones sufridas desde la infancia se levantaron a un tiempo para alimentar su amargura. Todas las injusticias, las frustraciones, los abusos que veía sufrir a los obreros de la mina, reavivaron el despertar de su conciencia. A través de la educación había esperado transformar a gentes como él, privadas de todo aquello a lo que tenían derecho. Pero ya era tarde, ya no podía esperar. Yo sentía crecer el ímpetu de su rabia. El fracaso total del Frente Único del Magisterio acabó en mayo con todas las tentativas de acción desde el ámbito profesional. «Lee, lee», me dijo un día: «Aquí está el epitafio del Frente Único».

«El temor ridículo», decía el artículo, «a caer en posturas políticas paralizaba todas las actividades. Se desconfiaba de nosotros y se ponían obstáculos a nuestra labor… Se descuidaba sistemáticamente el aspecto de propaganda en la calle, el más interesante. En una palabra, el FU se había convertido en un organismo burocrático».

La revista era *Trabajadores de la Enseñanza*. Hacía un mes que Ezequiel pertenecía a la Federación. Antes de acabar el curso, me dijo: «Voy a afiliarme al partido socialista. Me siento muy de acuerdo con la postura que los socialistas mantienen en cuanto a la República».

En cuanto a mí, respetaba y comprendía su actitud pero no me sentía capaz de secundarla. Mis sueños, vapuleados como estaban, aún eran los de siempre. Educar para la convivencia. Educar para adquirir conciencia de la justicia. Educar en la igualdad para que no se pierda un solo talento por falta de oportunidades…

—Romanticismo, un gran romanticismo —me dijo Ezequiel.

Luego recitó de memoria la frase de uno de sus líderes:

«Nosotros fuimos a una revolución y el poder cayó en manos de los republicanos y hoy hay en el poder un Gobierno republicano y ya destruye lo que hicimos nosotros.»

Los días de junio eran largos y el verano se instalaba presuroso en las tardes sofocantes. La escuela no acababa nunca. A las cinco de la tarde bajábamos al río mi hija y yo y una corte de niños y niñas nos acompañaba.

Recogíamos hojas para nuestros herbarios. Arrancábamos juncos para trenzar cestos que llenábamos de flores. El río bajaba rebosante. La corriente golpeaba las orillas pero había remansos, suaves entradas del agua en el soto que descubrían playas diminutas de guijarros triturados. El agua estaba fría pero los niños chapoteaban en la piscina improvisada, se bañaban entre gritos de miedo y alegría. Bajo las piedras buscaban los cangrejos que se escondían torpones y ciegos. Regresábamos tarde, cuando el sol empezaba a enrojecer, por el oeste, los montes pelados de las minas.

Juana era feliz. Los niños la llevaban de la mano, le hacían saltar charcos, jugar al escondite. Subíamos cantando por la carretera y ella también cantaba transformando palabras y sonidos a su antojo. Algunas tardes elegíamos el bosque y cortábamos peonías rojas, de pétalos curvados y tersos. Con ellas adornábamos la escuela; las colocábamos en latas, en botes, en cacharros de barro. Los niños dibujaban el río y los árboles del bosque y colocábamos sus dibujos en un friso largo que se extendía por las paredes de la clase.

La calurosa plenitud del verano era causa también de pequeñas molestias. Las chinches hacían su aparición y había que bajar al prado los jergones y echar agua hirviendo en los travesaños de madera. El chorro de agua humeante descendía por el somier empinado y las chinches caían indefensas ante nuestros ojos vengativos.

Los domingos de junio organizábamos excursiones cortas para los tres.

Al otro lado del río había praderas y un molino harinero con patos en la presa y gallinas picoteando en las orillas. Extendíamos la merienda sobre un mantel y después de comer nos tumbábamos en la pradera contemplando el cielo luminoso. Quedaba lejos la mina y el pueblo y los problemas inmediatos. Sólo existíamos nosotros y nuestra hija corriendo alegremente por la hierba. Eran unos días cargados de nostalgia anticipada. «El tiempo huye», me repetía. Porque la alegría del presente se tambaleaba ante la incertidumbre del futuro.

Desde el uno de julio Ezequiel nos estaba animando a marchar.

—Tus padres os esperan —afirmó—. Hace meses que no ven a la niña. Tenéis que iros ya. En seguida me tendréis allí. En cuanto deje en orden todo esto...

Y señalaba a su alrededor, a las dos escuelas, desordenadas con el fin de curso, y a nuestra casa que necesitaba una mano de cal para borrar las goteras.

No miraba al mundo que empezaba en la Plaza, pero yo sabía que también necesitaba poner orden allí, en las reuniones de los mineros. Necesitaba participar de la excitación y el bullicio que hervía en aquel espacio encerrado dentro de los límites ambiguos de la clandestinidad, a medias entre el miedo y la osadía.

Por lo demás estaba satisfecho. Un nerviosismo alegre había sustituido la pasividad que antes le sumía en prolongadas pesadumbres. Se mostraba jovial con la niña y conmigo, como si estuviera a punto de emprender un largo viaje desbordante de promesas.

Preparamos el viaje azuzadas por su impaciencia y apenas me quedó tiempo de subir a despedirme de don

Germán. Le encontré en un sillón del que no se había movido desde su enfermedad. En tan sólo unos días había envejecido años. Cogió mi mano y la retuvo mucho tiempo entre las suyas.

—Querida amiga —dijo—, qué malos tiempos le va a tocar vivir. Europa está sentada sobre un polvorín. Y nosotros tenemos en la mano una mecha a punto…

Me pareció excesivo su pesimismo y traté de animarle.

—Todo se va a arreglar. Verá usted como pronto recuperaremos las riendas del Gobierno y esta vez nadie nos las va a arrebatar.

Trataba de seguir su lenguaje metafórico poco segura de lo que ambos queríamos decir.

Eloísa se movía alrededor del padre sin palabras. También ella me pareció más ajada, más débil. Las ojeras azuladas sugerían falta de sueño y una arruga grabada entre las cejas dividía la frente en dos hemisferios torturados.

—Buen verano —me dijeron al despedirme.

Y allí quedaron los dos envueltos en la penumbra de la sala, despojados del halo de arrogancia que les había distinguido.

No pude ver a Domingo que estaba en uno de sus viajes a León, ni a Inés encerrada con un grupo de mujeres que pedían la libertad de un muchacho detenido.

—Mal hecho detenerlo —me dijo Marcelina, la última de quien me despedí—. Porque no fue más que un insulto a un Director, no hubo golpes ni daños personales. Pero también ésas, qué poco tienen que hacer en sus casas, digo yo. Todo el día protestando de una cosa y de otra y los críos con los mocos colgando y el fogón apagado y esos pobres maridos cuando salen de la mina a la taberna tienen que ir, porque usted me dirá…

Estaban sentados a la sombra del emparrado. Las hojas se movían con la leve brisa de agosto. Sobre sus rostros se dibujaban manchas cambiantes, antifaces que cubrían sus ojos, mordazas que ocultaban momentáneamente sus bocas.

Hablaban de política y me llegaban fragmentos de su discurso envueltos en la neblina de una siesta a la que acababa de entregarme.

«El fascismo, ésa sí es una amenaza», decía mi padre.

«Importamos carbón de Inglaterra, nuestros precios bajan, no se cumplen las disposiciones legales en cuanto a descanso, vacaciones, jubilación…», proclamaba Ezequiel.

«… Si por lo menos no desemboca todo en violencia» (mi padre).

«La violencia es el último lenguaje pero a veces es necesaria» (Ezequiel).

«La República… el Gobierno… los socialistas…»

Tumbada en la hamaca, había perdido el hilo de la conversación. El sueño me iba envolviendo y las risas de mi madre se mezclaban con el gorjeo de Juana en la cocina.

Cuando me desperté el sol había virado hacia el oeste. La sombra total de la casa absorbía la movediza protección de la parra. Mi padre y Ezequiel estaban callados, uno al lado del otro, absortos en sus respectivas reflexiones. Al verme ya despierta propusieron a un tiempo: «¿Vamos a dar un paseo?».

Por la carretera tomamos la dirección del Norte, hacia Asturias. Ante nosotros las montañas destacaban su perfil sobre el cielo transparente de la tarde.

—En Asturias —dijo Ezequiel— está la clave de lo que pase en las minas. Lo que ellos hagan nos ayudará.

Llevaba una semana con nosotros pero no había conseguido desprenderse de las preocupaciones que traía.

Mi padre también estaba preocupado. Leía exhaustivamente las noticias y comentarios de los periódicos y cuando llegó Ezequiel las analizaban hasta la saciedad los dos.

Yo preservaba mi paz refugiándome en la indiferencia tentadora de mi madre. Nos sentábamos en sillas bajas a la sombra de los árboles y cosíamos las dos. Le contaba historias de los niños, le hablaba de nuestros amigos. Juana nos acompañaba. Jugaba y charlaba sin cesar y alegraba todos nuestros momentos. Evoco aquel verano y veo el pequeño grupo que formábamos las tres, mi madre, mi hija y yo, unidas en una plácida armonía, voluntariamente aisladas de los insistentes presagios de nuestros hombres.

Al regresar a Los Valles nos esperaba una desagradable noticia. Un Oficio del Inspector en el que nos instaba a suspender inmediatamente el experimento de coeducación que nos había autorizado. A modo de disculpa nos incluía el texto completo aparecido en la *Gaceta* durante el verano. Tras lamentar la intervención de algunos inspectores que establecieron sin autorización ministerial la coeducación en las escuelas unitarias, se pasaba a criticar esta actuación que había provocado protestas de padres, Ayuntamientos y de los propios maestros. En consecuencia: «Se prohíbe a los maestros e inspectores la implantación en las escuelas primarias de la coeducación».

La decepción y la amargura que nos produjo esta decisión marcó el comienzo del curso que se inició entre el estupor de algunos padres y el regocijo malicioso de otros.

Ezequiel estaba nervioso y se ensañaba a veces conmigo.

—Ya ves lo que se consigue con los métodos razonables. Nos impiden la coeducación, nos acusan de inmorales, de envenenadores del pueblo.

Era verdad. Pero yo trataba de mantenerme serena.

Inés estaba llevando su activismo político a las últimas consecuencias. Había recibido una llamada de atención del Director de la empresa minera exigiéndole una dedicación absoluta a las tareas de la enseñanza y prohibiéndole utilizar la escuela para fines más o menos abiertamente políticos.

Ezequiel también discutió conmigo este asunto.

—Inés está comprometida con responsabilidades muy graves y a veces tiene que salir antes de las clases, ¿es eso un delito?

—No es un delito —replicaba yo— pero no estoy dispuesta a aceptar que se perjudique a los niños en razón de otra actividad por extraordinaria que sea…

Creo que en mi rechazo a la conducta de Inés había una parte de sentimiento de culpa, y otra de postergación.

Era cierto que yo vivía encerrada en mi casa y ajena al mundo de la mina y sus problemas. Yo anteponía mis obligaciones de maestra y mi atención a Juana a toda otra ocupación. Pero también era cierto que Ezequiel, que tanto admiraba a las combatientes como Inés, me tenía al margen de muchas cosas que yo trataba de averiguar, atacando su reserva.

Un día que estaba especialmente preocupado, dijo de improviso:

—No sé si sería conveniente que pidieras un mes de permiso por asuntos propios y te fueras con la niña a casa de tus padres.

Me quedé muda de sorpresa y temor.

—Pero si no hace un mes que volví de vacaciones. ¿De qué me hablas? ¿Qué va a ocurrir? ¿En qué estás pensando?

Él se replegó inmediatamente y adoptó un tono ligero al decir:

—No ocurre nada y no va a ocurrir nada. Estaba pensando en los trastornos que puede acarrear la huelga general…

No acepté la explicación pero traté de disimular mi inquietud.

—Entonces no hay razón para una huida. Yo sufriré, como todos, las consecuencias de una huelga que me parece justa.

Esa misma tarde fuimos a visitar a don Germán, a quien no había visto desde antes del verano.

Lo encontré hundido en su sillón pero tenía mejor aspecto.

—Ya doy paseos cortos —nos dijo. Y añadió—: Tengo que darles una noticia. Me han obligado a dimitir por razones de salud. Quizás tengan razón. De todos modos ustedes saben que les apoyo en todo —dijo dirigiéndose a Ezequiel—. Aquí me tienen con la fuerza moral entera ya que la física me falla.

Seguimos charlando un rato y justo al despedirnos, mientras yo comentaba con Eloísa el buen aspecto y la mejoría de su padre, oí que éste le decía a Ezequiel:

—… aunque usted ya conoce mi punto de vista. No estoy de acuerdo con la revolución, que me parece propia de países con una clase obrera poco madura…

Regresamos a casa silenciosos. Las palabras de don Germán me habían impresionado. Él había hablado de revolución.

Revolución era una palabra que yo veneraba. Revolución significaba cambio profundo, agitación definitiva, volverlo todo del revés. Pero revolución también significaba sangre y era una palabra que pertenecía a la historia de otros países, la Revolución Francesa, la Revolución Rusa. ¿Era esa palabra aplicable a nuestro país en ese momento?

Pocos días después iba a obtener la respuesta.

Todo estaba oscuro cuando abrí los ojos. Tras la primera explosión, débil, estalló una fuerte, estruendosa. Me pareció que temblaban las paredes de la casa. Traté de dar la luz pero no había luz. Grité: Ezequiel. Pero

Ezequiel no estaba. Recordé: no ha llegado; llegará tarde como todos los días. Corrí a oscuras a la cama de mi hija. La niña estaba dormida pero se despertó al oír mi voz: Juana, Juana.

La agarré en brazos, la arropé con la colcha de la cama.

La mina, pensé. Algo ha ocurrido en la mina. Pero la sirena no sonaba. Cuando es la mina suena la sirena. Además el estruendo no venía de arriba. El ruido venía de abajo, de la carretera. Me acerqué al balcón cerrado. En la casa de Marcelina no había luces. Todo el pueblo se hundía en el silencio y la oscuridad. ¿Sólo yo he escuchado la explosión? ¿Ha sido una pesadilla? Pero sabía que no. Estaba muy despierta la segunda vez. La primera, la suave, fue la que me hizo saltar de la cama. Pero la segunda, la fuerte, estaba ahí, sonaba todavía en mis oídos. Temblando busqué a tientas la palmatoria, preparada para un posible apagón momentáneo. «No se preocupe», decía Marcelina, «porque allá arriba necesitan la luz a todas horas…». Me senté en la cama y no podía soltar a la niña, que se había vuelto a dormir en mis brazos.

La mina. La explosión tiene que ver con la mina aunque no haya sido arriba, aunque no haya sonado la sirena. El pueblo entero lo sabía, todos lo sabían, por eso nadie estaba a la puerta de sus casas. Están encerrados como yo, con su vela a los pies de la cama, esperando nuevos sonidos, datos, señales, síntomas de lo que está ocurriendo. Ezequiel está en la mina, reunido con Domingo y los otros, o en la Casa del Pueblo, en la taberna, ¿dónde?

Habían transcurrido pocos minutos y una insegura tranquilidad había sustituido, en mi ánimo, al sobresalto primero.

Ezequiel volverá. Está bajando apresurado para tranquilizarnos, para explicar lo que ha ocurrido. Un accidente. Un grave accidente. Algo que tiene como causa la mina aunque no haya ocurrido en ella. Rodaban las palabras por mi mente, las mezclaba, las revolvía, las intercambiaba.

Mina, mineros, Ezequiel. Seguía sentada porque no me atrevía a acostarme. Estaba segura de que otra vez vendría el golpe violento que me haría salir despedida de la cama.

Traté de reconstruir lo sucedido la tarde anterior, el día anterior. Nada especial. Nada que a mí me hubiera preocupado o parecido extraño. Lo accidental aparece así, de pronto. Si hubiera habido alarmas previas no habría habido accidente. Es absurdo pensar que un accidente ha sido anunciado un día antes. Un camión cargado de explosivos choca con algo, estalla. Dicen que ocurren cosas así por negligencia. Un camión de explosivos para la mina. El descubrimiento de esa posibilidad me tranquilizó. Sólo segundos, porque nuevas preguntas se levantaron dentro de mí atacando la endeble suposición. Si un camión explota, ¿dónde están las ayudas que deberían llenar la carretera?, ¿dónde la gente asustada, preguntando qué ha sido, cómo ha sido?

Con la nariz pegada al cristal trataba de desentrañar el significado de las sombras. Pero sólo veía la negrura del silencio. En la noche, a todas horas hay un hombre que sube o baja, uno que madruga o uno que se retira tarde. Y la calle estaba vacía.

No tenía reloj. Ezequiel llevaba el único que teníamos. Un reloj de bolsillo que era de su padre. Ezequiel y su reloj estarían despiertos en lo alto del pueblo. La verdad se iba abriendo camino en mi imaginación paralizada por el miedo. Algo muy grave ha sucedido para que no venga Ezequiel, para que no se mueva nadie… Como cuando estalla una guerra o empieza una revolución. Horrorizada por mi descubrimiento, petrificada de temor y de frío, permanecí inmóvil abrazada a mi hija hasta que la primera luz del alba entró por el balcón. Observé entonces que un cristal estaba rajado por efecto de la explosión. Al mismo tiempo oí pasos en la escalera. Pasos cansados, lentos, arrastrados. Ezequiel entró y me pareció que no estaba asustado. Le brillaba un extraño fulgor en la mirada y tenía una expresión rara que yo no conocía cuando dijo:

—No te asustes. Tranquilízate. Todo está controlado por nuestra gente. Han volado el puente y tienen a los guardias retenidos en el Cuartel. Duermo una hora y subo otra vez. Vine porque quería que estuvieses tranquila…

Se echó en la cama y se quedó dormido. Su respiración era suave y me recordó la forma en que dormía después de una excursión al monte, un día de pesca o cualquier otra jornada gozosa.

Deposité a la niña en su cama y me fui a la cocina a hacer el desayuno. Bebí un café solo y se me olvidó echar azúcar. El sabor era amargo y me hizo estremecer. Un cansancio infinito me abrumaba. Me senté en una silla; apoyé la cabeza sobre los brazos cruzados y me quedé dormida.

Marcelina compareció en seguida, en cuanto el sol brilló con fuerza.

—¡Qué susto se habrá llevado, criatura! Yo quería pasar pero Joaquín no me dejó. No cruces la calle que lo mismo te disparan, me decía. La huelga, ya lo ve, fue más que huelga. Se veía venir. Se oían rumores pero yo no quería, no podía darle preocupaciones con su marido tan en ello, tan metido en todo…

Ezequiel ya había desaparecido y me había dejado instrucciones.

—Tú quieta. Ya vendré yo cada vez que pueda…

Las escuelas no se abrieron. Las tiendas tampoco. De las casas iba saliendo la gente tímidamente. Se quedaban en la puerta sin saber adónde ir.

—Yo me ocupo de todo —me dijo Marcelina al día siguiente—. Yo le busco donde sea la comida. Andan todos armados, los mineros, pero no hay lucha. Dicen que en Asturias sí. Que han soltado a los presos del verano, los que habían cogido en Trubia. Dicen que en algunos sitios han matado curas y a algún rico que no era de fiar… De todos modos me alegro de que Joaquín no esté en la mina. Santa enfermedad que me lo retiró a tiempo…

Ezequiel no iba armado. Apareció un momento e insistió: «No te muevas, no te separes de la niña».

Débilmente mostré deseos de ayudar.

—Si tú lo crees necesario.

Pero era claro que él prefería que me quedara en casa cuidando a Juana, protegiendo a Juana.

—Han asaltado la tienda y el bar de Anselmo —me contó—. Le han robado todas las existencias y a él lo han llevado nadie sabe adónde. No podemos controlar a todo el mundo pero ya se ha formado un comité para evitar el pillaje.

Al tercer día llegó Mila. Traía noticias recientes.

—No se ha podido seguir hacia León. No han llegado las armas que nos mandaban de Asturias... Doña Inés está al frente de un hospitalillo que han montado en la escuela. Ella enseña a las mujeres a curar heridos... Heridos sí hay. Nadie sabe dónde pero han disparado tiros sueltos al paso de los mineros... Han matado a uno. También los mineros han matado. A Anselmo lo han encontrado enterrado en una vagoneta de carbón. El Cura está escondido nadie sabe dónde. Han ocupado el Ayuntamiento y piden que vuelva don Germán pero él no quiere o no le deja la hija... Dice mi madre que el Ejército los va a matar a todos, que no van a poder con el Ejército.

La radio daba noticias constantemente. Eran noticias centradas en las minas de Asturias, datos, cifras, informaciones contradictorias sobre la verdadera situación geográfica del Ejército. La radio me ponía nerviosa. Sólo servía para cerciorarme de la gravedad extrema de la situación pero yo necesitaba otra clase de noticias. Las que podía darme Ezequiel, las que otros podían darme de él. Estuvo un día entero sin bajar a casa. Envió un recado por Marcelina que subía y bajaba sin descanso, siempre a la busca de algo necesario para su casa y la mía. El recado era: «Que estés serena. Tranquilidad. Que no puedo moverme, tenemos muchas cosas que atender. Que cuides a la niña».

Requisaron coches, camiones. Pasó Inés subida a uno que llevaba el emblema de la Cruz Roja. Iba hacia el río a buscar un herido. Se detuvo en mi casa. Me dijo: «Vamos, qué haces aquí con la escuela cerrada y sin nada de qué ocuparte. Ven a ayudarnos allá arriba…».

Le dije que no con la cabeza. No podía ni hablar. Me miró con una sonrisa que a mí me pareció de desprecio. Hubiera querido decirle: «Tú no sabes lo que es un hijo». Pero no era justo. Inés hubiera hecho lo mismo aunque hubiera tenido muchos hijos. Me sentía culpable y cobarde. Una sensación de impotencia me dominaba. La inacción me ponía nerviosa y, a la vez, el temor no me dejaba vivir. Esperaba noticias todo el tiempo. Llegaba Marcelina.

—Se han hecho cargo de todos los almacenes. Han requisado la panadería y los tienen haciendo pan para todos. Lo hacen como Dios manda. Les dan un papel y les firman lo que han cogido para devolvérselo un día, dicen que cuando triunfe la revolución…

En la radio se hablaba de insurrección. Toda España estaba pendiente del Norte, de Asturias sobre todo y de León también. Había noticias confusas pero la impresión general era que sólo en Asturias duraba la revuelta, sólo ellos resistirían.

Pero yo prefería las noticias de Mila, de Marcelina, de cualquier testigo de los sucesos diarios.

—El administrador de la mina y los ingenieros están detenidos. Todos no, porque ha habido alguno que se ha sumado a los mineros. Los tratan bien y están mejor detenidos porque hay muchos en la calle que los quieren matar.

Un día Marcelina me dijo: «Tiene que bajar a ver el puente como ha quedado. Ni piedra sobre piedra dejaron. Hay que pasar por barca al otro lado o por la vía siguiendo el río, pero eso es más largo. Dicen que la mañana de la explosión flotaban los peces muertos».

No bajé al puente pero al tercer día decidí subir a la Plaza dejando a Juana al cuidado de Marcelina.

La Plaza presentaba un aspecto apacible, como de día de fiesta. Los niños jugaban entre los árboles, ajenos a todo lo que no fuera el goce de la vacación inesperada. En la puerta de la Iglesia cerrada podía leerse UHP. La casa del Cura estaba silenciosa con los postigos cerrados.

En el Ayuntamiento había dos mineros armados a la puerta. Hacían guardia o trataban de preservar la integridad del edificio, las carpetas de legajos, los documentos ordenados en las estanterías. Las tiendas estaban cerradas. Por las calles que rodeaban la Plaza había grupos de mineros, armados unos, desarmados otros. Se me quedaron mirando pero no dijeron nada.

—Dinamiteros, nos llaman dinamiteros —decía un muchacho joven que fumaba un cigarrillo a la puerta de un almacén de coloniales. Se lo decía a una mujer que esperaba de pie, con un cesto en la mano, a que le tocara el turno para entrar al portal donde estaba formada la cola.

Pensé preguntar por Ezequiel a alguno de los que hacían guardia en la Alcaldía. Pero desistí. Bajé las escaleras de la Plaza que terminaban en la carretera y descendí sin prisa hacia mi casa, hacia el barrio campesino. De las casas salían ruidos familiares, llantos de niño, cloqueo de gallinas, gruñidos de cerdo. Me pareció que regresaba de un viaje en busca del refugio de mi hogar.

Ezequiel apenas apareció durante toda la semana. Hablaba poco y yo evitaba preguntarle. La información de la radio era incompleta. Los frecuentes cortes de luz impedían oír las noticias en las horas cruciales. Pero prefería no saber. Estaba convencida de que vivíamos una experiencia que tendría un final doloroso; aunque no era capaz de imaginarme cuál. Pensaba en mis padres que no podían comunicarse con nosotros. De aquí y de allá me llegaban fragmentos de conversaciones.

«Dicen que el Gobernador va a andar con mano dura… Dicen que ya han pasado los moros de Marruecos y que nos los van a mandar para acá… Dicen que han matado al Cura… Dicen que no.»

Escuchaba a todos y una corteza de insensibilidad me protegía de los rumores. Con Ezequiel mantenía una actitud distante.

Por una parte me resentía del abandono en que me tenía en favor de la insurrección. Por otra, no le perdonaba que me hubiera mantenido al margen de ella desde el primer momento.

Entre contradicciones y sentimientos variables, fueron pasando los días. Hacía quince desde la voladura del puente cuando el lamento que tan bien conocía me despertó en la noche. Todo ha terminado, recuerdo que pensé. Sonaba la sirena que había permanecido muda durante los días pasados. Me asomé a la ventana y vi gente que corría. Se avisaban unos a otros: «Llegan las tropas, ya las tenemos aquí... la sirena sonó para avisarnos...».

Era la contraseña. Algunos cogían mantas y subían hacia la Plaza. Eran los que tenían un trabajo mixto como Joaquín, mina y campo, campo y mina. Subían para unirse a los demás, para escapar al monte o hacerse fuertes en la mina.

Una vez más cogí a mi hija, la apreté entre mis brazos, me pregunté qué hacer. ¿Subiría yo también? Ezequiel estaría entre los que, arriba, estudiarían la decisión a tomar: rendirse o resistir.

Ya era día bien claro cuando el motor de los camiones se dejó sentir carretera adelante. Las calles estaban vacías cuando alcanzaron el pueblo. Atemorizadas y expectantes las gentes se escondían tras las ventanas cerradas. Por un agujero abierto en la madera pude ver el paso del Ejército. Eran muchos, muchísimos. En los camiones descubiertos se apretaban los soldados. Dirigían hacia las casas las bocas de sus fusiles. Yo imaginaba que al menor movimiento sonaría la voz de fuego. Pero nadie se movió. Cuando todos hubieron pasado, allá en lo alto sonó un tiro aislado, luego otro, disparos como de cazadores en domingo. La respuesta fue una ráfaga de balas, un tableteo ininterrumpido y después, otra vez, el silencio.

—Una ametralladora, eso fue lo que dispararon —dijo Marcelina, que había cruzado la calle rápida en cuanto desapareció el último camión.

Me miraba con expresión rara. Me contemplaba entre perpleja y conmiserativa. Piensa en Ezequiel y en lo que puede sucederle allí arriba, me dije. Mientras tanto yo sentía que todo estaba sucediendo lejos y fuera de mí. Lo inevitable había llegado. Me di cuenta de hasta qué punto estaba preparada para afrontar ese momento.

—Ya lo sabíamos —musité.

Marcelina me miraba y no encontró palabras para el consuelo o la esperanza.

—Voy a hacer café —dijo, echando mano de los gestos sencillos, único refugio para paliar la gravedad de los hechos extraordinarios.

Ezequiel llegó al anochecer. Entró por atrás. Debía de haber saltado por la paredilla del prado. Me dio un susto terrible.

Yo esperaba pegada al cristal del balcón. Bajará él o alguien me traerá un recado, pensaba. Apareció de pronto en la puerta sin llamar, sin avisar, como un fugitivo.

—Estábamos reunidos en el Ayuntamiento pero ellos fueron derechos a la mina. Hubo algunos disparos aunque se había decidido no ofrecer resistencia para evitar mayores desgracias. Después de las noticias que llegaron quedaba claro que estábamos perdidos.

Parecía infinitamente cansado pero no se sentó. Acarició a la niña dormida y me besó en la mejilla. Olía a sueño, a tabaco y a ropa sucia.

—No te muevas. Pase lo que pase, continúa aquí. Nadie se va a meter contigo porque tú no te has metido con nadie.

Bajó otra vez las escaleras, con el mismo sigilo con que las había subido. Y se esfumó en la noche, en la zozobra y el peligro.

—No llegará la sangre al río —me dijo Marcelina cuando crucé la carretera para informarle de la visita de Ezequiel.

Pero pronto supimos que había sangre y que ésta se había deslizado por las aguas del río. La noticia llegó al día siguiente. «Allí mismo, junto al puente volado, les hicieron cruzar a golpe de bayoneta, sí señor. ¿No habéis volado el puente?, les decían. Pues ahora a cruzar por la corriente...»

Ezequiel y Domingo iban con ellos. Mateo había oído el ruido de los camiones al amanecer; había saltado de la cama para correr detrás de ellos; había contemplado el espectáculo escondido entre los arbustos.

—Los llevaban atados de dos en dos. Se caían y les obligaban a seguir; allí no cubre mucho, en esa parte. Los soldados iban detrás y al que se desmandaba lo pinchaban...

«La sangre de los mineros se deslizará río abajo, hasta remansarse en los meandros de los cangrejos y los juncos del verano», pensaba yo, pero me mantenía serena y lúcida. Siempre me ha sorprendido la dificultad que el ser humano tiene para soportar las molestias cotidianas y la valentía con que afronta las situaciones excepcionales.

La detención de Ezequiel, su desaparición y la sucesión de acontecimientos que me tocó vivir despertaron en mí una fuerza insospechada.

A las veinticuatro horas de su ocupación por el Ejército, el pueblo parecía tranquilo. Los servicios fueron restablecidos lentamente. Se abrieron las escuelas. Un sustituto salido no se sabía de dónde ocupó el puesto de Ezequiel. Era un muchacho joven, vestido de negro, pelado al rape, con aire de seminarista. Pasó a saludarme a la hora del recreo y parecía cohibido. Lo miré a los ojos que se esforzaba en mantener fijos en el suelo y le dije:

—Si necesita ayuda con los niños ya sabe dónde estoy.

Mis alumnas parecían asustadas. El primer día de reanudación de las clases, no hablaban y obedecían la menor indicación con presteza. Pronto recuperaron su manera natural de producirse. Fueron espontáneas y hasta hubo alguna que preguntó:

—¿Vendrá pronto don Ezequiel?

Yo les pedí que hicieran una redacción contando cómo habían vivido los últimos sucesos. Casi todas hicieron hincapié en dos cosas: la explosión que había destruido el puente y la llegada de las tropas al pueblo.

A propósito de las tropas, a la semana de su llegada, se presentó un sargento en mi casa. Se dirigió a mí hosco y un poco incómodo para pedirme la llave de la vivienda del maestro.

—Me han asignado ese piso como vivienda para mi familia.

Busqué la llave en el gancho del portal. Estaba allí desde que llegamos ya que nadie la usaba. Se la entregué y él me enseñó un papel, una orden o un Oficio que yo rechacé.

—No me enseñe nada. La vivienda no es mía. Es del Estado —le dije.

Pero una pregunta me asaltó en el mismo instante en que nombró a su familia: ¿Hasta cuándo piensan, entonces, quedarse en el pueblo?

—Pues muchos días, ya ve usted —me informó Marcelina. Muchos días porque los oficiales y los suboficiales andan así, buscando alojamiento por orden superior. El que va a vivir en la escuela es de Madrid. Casado y con una niña. Se conoce que piensan destacarlos aquí por tiempo largo, por lo menos a parte de ellos. Querrán tener vigilada la mina para que no se desmande nadie…

El domingo por la mañana llegaron la mujer y la niña.

Se bajaron del taxi, llamaron a mi puerta y al decirles que no tenía la llave, el taxista se ofreció a buscar al sargento.

La mujer era pizpireta, bajita y gordezuela. Parecía muy joven, con su pelo corto rizado a grandes ondas. Llevaba un abrigo de paño azul con un cuello blanco de piel de cordero y zapatos de tacón. La niña era un poco mayor que Juana. Tenía el pelo rubio aclarado con camomila y un gran lazo tieso, posado en la cabeza como un pájaro. Lo miraba todo sorprendida.

—Usted es la maestra, ¿verdad? —preguntó la madre—. Decía yo que si podría tener a mi niña en la escuela el tiempo que estemos aquí… ¿Verdad que tú sí quieres, Dolorcitas? Ha cumplido los años hace poco, precisamente nació un cinco de octubre.

Aquel «precisamente» le salió con un matiz de disgusto en la voz.

Era el día del comienzo de la revolución, la huelga general, la insurrección o como quiera que ella, en su fuero interno, la llamara.

Al poco tiempo llegó el sargento. Las besó a las dos.

—¿Qué tal el viaje? Pasa y verás. Hemos hecho lo que hemos podido para arreglar este cuchitril, pero no ha dado tiempo a pintarlo. Los muebles nos los han prestado, voluntariamente, gente buena, de esa que le gusta ayudar. Y no te quejes que otros han tenido peor suerte con el alojamiento.

La mujer se despidió de mí. Él emitió un gruñido que iba a ser su forma habitual de saludarme en adelante.

Cuando los tres desaparecieron, yo salí al prado detrás de la casa donde Juana jugaba con Mila, que no me abandonaba ni los días festivos desde que se llevaron a Ezequiel.

—Mila, hija —le dije—. Nos meten en la casa del maestro a un sargento con su familia. No sólo detienen a mi marido sino que además me ponen a la puerta un carcelero…

Pero tampoco fue exactamente así. Lola, la mujer del sargento, resultó ser una mujer charlatana y alegre y nunca mostró la menor hostilidad hacia nosotras.

Con frecuencia llamaba a mi puerta, me pedía alguna cosa que necesitaba, me invitaba a tomar café por la tarde, a la salida de la escuela. Yo procuraba escabullirme pero no siempre podía.

—Además, mejor que no le haga usted frente —me había aconsejado don Germán—. No lo tome como algo personal. Olvide que está aquí a causa de una misión desagradable y ayúdela. No le conviene enemistarse con esta gente...

Así que yo traté de ser buena vecina, recibí a su hija en mi escuela, dejaba a Juana jugar con Dolorcitas.

Creo que ella comprendía y agradecía mi actitud.

—Le advierto —me dijo un día— que algunos oficiales han tenido mala suerte. Yo no sé qué casas les han buscado pero les hacen la vida imposible, a mí me parece que a propósito.

Se quedó reflexionando un momento y añadió con un acento que pareció espontáneo y sincero:

—Sé lo que le ha pasado a su marido. Lo siento mucho. Piense que al mío podían haberle dado un tiro el primer día, cuando entró al asalto de la mina. Nosotras las mujeres siempre pagando los platos rotos de todo...

Al principio me llegaron noticias de Ezequiel por medio de emisarios desconocidos. Don Germán era el centro de toda información; era mi brújula y el apoyo más firme. A él acudía y siempre lo encontraba con la misma serenidad, con idéntica paciencia y energía. Desde su sillón que pocas veces abandonaba dirigía los hilos que no habían sido totalmente destruidos.

La Guardia Civil respetó a don Germán y no se atrevió a interrogarle sin motivos concretos. Por otra parte era evidente que su enfermedad le mantenía al margen de los hechos recientes.

Ese mismo argumento esgrimían sus enemigos reservándose una parte de duda: «Estaba enfermo, si no ya hubiéramos visto».

En su nuevo papel de intermediario clandestino se sentía rejuvenecer. «Es otro», me decía Eloísa, «se siente útil y ha olvidado la amenaza que pesa sobre su corazón».

Las primeras cartas me llegaron también por conducto de don Germán. Pero yo no podía esperar más. Necesitaba ver a Ezequiel, comprobar por mí misma cómo estaba. Solicité permiso escrito para ausentarme unos días de la escuela. La respuesta no llegó y no esperé más. El sábado despedí a los niños más temprano y me fui a coger el coche de línea que pasaba al mediodía. Con Juana a mi lado bajé en taxi hasta el río donde el barquero montaba guardia permanente cerca del puente roto.

Las aguas bajaban turbias. Las últimas lluvias habían aumentado el caudal y la barca se balanceaba en la corriente.

Miré hacia el puente. Trabajan en él con vigas, tablas, cables de acero, para recuperar cuanto antes un paso provisional.

Como si adivinara mi pensamiento el barquero dijo:

—No estaba tan crecido cuando les obligaron a pasarlo. Además, de aquella parte hay menos fondo.

Al llegar a León nos esperaba un amigo de don Germán que había facilitado los trámites de nuestra visita. Nos acompañó a la cárcel y allí, entre rejas, estaba Ezequiel. Tenía mal aspecto sobre todo por la barba, llevaba un jersey que no reconocí y los mismos pantalones del día en que se fue. Cuando me vio hizo gestos de extrañeza y señalaba mi cabeza. Me acordé del empeño de Lola en rizarme el pelo. Las tenacillas quemaban y los tirones de pelo me molestaban, mientras Lola hablaba sin cesar de Madrid: «Si vieras qué edificios, qué parques, qué comercios. Yo no sé cómo puedes vivir en este pueblo…».

Yo me dejaba hacer, indiferente al entusiasmo de la mujer, y ahora allí estaba el resultado: Ezequiel que me miraba sorprendido y movía la cabeza de un lado a otro, diciendo «no».

Si hubiéramos estado cerca, si hubiera sido fácil entenderse, estoy segura de que hubiera dicho: «No es digno de ti».

Pero en seguida envió besos a Juana y nos gritaba palabras cariñosas. Nos llegaban diseccionadas por los gritos de los otros que se cruzaban con los suyos y se rompían también en pedazos.

—Esa Inés es muy lista. Mire como a ella no la cogieron. Andará huida. Como es de Bilbao se habrá ido para allá… Dice Joaquín que en la mina están acobardados y dormidos. Lo sabe él por los compañeros, jubilados o casi, que le visitan. Fíjese usted con lo pequeña que es nuestra mina y ha habido cuatrocientas detenciones, ¿qué será en esa Asturias tan minera, con tanto mil y mil de obreros que allí viven?

La charla de Marcelina me zumbaba en los oídos. Pasaba de una noticia a una sospecha, de un rumor a una certeza. Pero yo la oía sin curiosidad. No podía concentrarme en datos aislados sobre un estado de cosas cuya trascendencia no podía calibrar. Me preguntaba cuánto tiempo retendrían a Ezequiel en la cárcel, cuál sería el siguiente paso, qué debía hacer yo.

Bajo un signo de pesadumbre se acercaban las Navidades. Decidí ir a pasarlas a casa de mis padres. La idea de quedarme sola en Los Valles me pareció insoportable. Así pues, al día siguiente de terminar mis clases emprendimos el recorrido lentísimo que nos acercaría al calor de los míos. Taxi, coche de línea, tren. Y los brazos de mis padres recibiéndonos a las dos.

A mi regreso, el sargento y su familia ya no estaban. Respiré aliviada y me dispuse a arrostrar la perspectiva incierta del año que empezaba.

1935 fue un año gris. De un gris pesado, cargado de amenazas.

Si tuviera que resumir lo que ese año significó para mí, lo haría lacónicamente: fue un año de tristeza y de miedo.

La tristeza me dominaba a todas horas. Sólo durante el tiempo dedicado a la escuela, salía del marasmo en que me debatía.

El trabajo era mi medicina, mi estímulo, lo único que me conservaba firmemente asentada en la realidad.

Al entrar en la clase, dejaba atrás mi carga de angustia. El desaliento se transformaba en vigor, la debilidad en fortaleza.

En medio del terremoto que nos había sacudido, sólo los niños conservaban intacta la esperanza. Empecé a llevar a mi hija a las clases conmigo. La sentaba en la primera fila, entre las más pequeñas, y su presencia me confortaba. Por unas horas el círculo mágico se cerraba, aislado del mundo exterior. Juana y las niñas y yo habitábamos ese círculo dentro de cuyas barreras seguía siendo cierta la belleza del mundo. Una y otra vez percibía en los ojos absortos el esplendor de los descubrimientos.

«Las plantas se alimentan de la tierra. Los astros giran. Hay un mundo submarino apenas explorado. El hombre descubre el fuego, pinta las cuevas, aprende a cultivar la tierra.»

Los conocimientos que el hombre ha ido adquiriendo a través de los siglos, el brillante juego del pensamiento, la dulce congoja de la sensibilidad. Todo fluía dentro del círculo. Luego, las puertas se abrían y otra vez, en la calle, esperaban la sombra de la tristeza y la amenaza del miedo.

El miedo adoptaba distintas formas. Miedo por el destino de Ezequiel. Miedo a ser denunciada. Miedo a encontrarme sin trabajo. Un día me encontré bajo la puerta un recorte de periódico en el que se podía leer:

«La escuela es la gran responsable de la revolución de octubre. Una escuela sin Dios y sin principios morales donde miles de maestros han estado sembrando en el alma de los niños el germen de la rebeldía. Desde estas páginas pedimos una depuración de ese Magisterio que ha corrompido a la infancia y ha envenenado con propaganda subversiva las clases de adultos».

—Hay treinta mil mineros presos y no llegan al centenar de maestros, ¿de qué miles nos hablan? —se indignó don Germán.

Luego me habló con razonable firmeza y sus palabras fueron un alivio para mi imaginación atormentada.

—Ladran porque cabalgamos —dijo—. Tengo motivos muy fundados para creer que las cosas van a cambiar.

Las fuerzas de izquierda están cerrando filas, se unen partidos, asociaciones. Hay una intención clara de no volver a caer en la trampa del treinta y tres...

Todavía pasarían unos meses hasta que el anuncio hecho por don Germán empezara a vislumbrarse con claridad. Al terminar 1935, el año de mi miedo y mi tristeza, los hechos se sucedieron con rapidez. En enero de 1936 se disolvieron las Cortes, el Frente Popular que don Germán pronosticara ganó las elecciones en febrero. La amnistía fue su primer objetivo.

Sin previo aviso, Ezequiel llegó una tarde. Se arrojó en nuestros brazos y nos retuvo mucho rato apretadas contra su pecho. Juana estaba confusa y se escapó en cuanto pudo del abrazo. Ezequiel parecía agotado y le ayudé a descalzarse. Se tumbó en la cama e intentó balbucir unas palabras que se perdieron en la profundidad de su sueño. Estuvo durmiendo varias horas, en la misma postura en que había caído derrumbado.

El final de la pesadilla me devolvió el esplendor de los sueños. «Otra vez a empezar», pensaba. «Ha sido un largo viaje por un túnel sin salida...»

Todo iba a ser como antes. En el programa del Frente Popular se hacía alusión a la enseñanza.

«... se impulsarán con el ritmo de los primeros años de la República la creación de escuelas de primera enseñanza, estableciendo cantinas, roperos, colonias escolares y demás instituciones complementarias...»

Con nuevo ímpetu iban a renacer los proyectos estrangulados durante el anterior bienio, la coeducación que había sido anulada, la actuación de la Inspección que había sido atacada; las Misiones Pedagógicas que habían quedado reducidas al mínimo.

El sueño de mis comienzos profesionales emergía con fuerza del hoyo en que había estado sepultado. Ezequiel recuperaría su escuela, nuestras vidas volverían a discurrir por cauces serenos. Era posible imaginar un futuro para Juana. También nuestro inmediato futuro cambiaría.

—No debemos quedarnos aquí. Debíamos pensar en pedir un traslado a un lugar más sano, cuando sea posible. No me gusta el polvo del carbón, la competencia con las escuelas de la mina, la división del pueblo en dos zonas.

Ezequiel no contestaba. Desde su regreso hablaba poco.

«Es la cárcel», trataba de razonar conmigo misma. «Irá pasando el tiempo y olvidará.»

Domingo no había vuelto a Los Valles. «Se habrá ido al encuentro de ella, allá donde esté», apuntó Marcelina.

En un principio me encontré alegrándome de la ausencia de la pareja. Un impulso irracional me hacía rechazar la influencia que habían ejercido sobre Ezequiel.

Yo trataba de neutralizar esa influencia.

—Nuestra revolución está en la escuela —le repetía—. Tú sabes muy bien que no se puede salvar a un pueblo ignorante.

Pero Ezequiel no me escuchaba. Aunque Domingo no estaba, él regresó a la mina.

—Otra vez a organizar, otra vez a comprometerse —se indignaba Marcelina—. Pero, Gabriela, ¿usted por qué le deja? Lo suyo es enseñar al que no sabe y que se deje de minas ni mineros. ¡Ay los hombres, qué bien sueñan y qué mal despertar tienen!

Ezequiel no renunciaba a sus sueños. Vivía en la frontera de la Plaza. Dedicaba su día a los asuntos de la Casa del Pueblo.

No había hecho el menor intento de agilizar su rehabilitación, retrasada sin duda por trámites burocráticos. Llegué a pensar que había solicitado la excedencia sin yo saberlo.

—Es un líder, Gabriela —me dijo don Germán—. Le siguen y le admiran. Los compañeros de la mina y muchos otros que estuvieron con él en la cárcel. Cada uno elige la responsabilidad de su destino. Usted debe respetar la elección de Ezequiel.

Respeté su elección. Respeté hasta el último de sus compromisos. Respeté su renuncia a la vida familiar, cada día más exigua. Respeté su deseo de continuar en Los Valles. «Iré cuando pueda», había dicho cuando terminó el curso; y yo corrí a cuidar a mi padre enfermo.

Aquel verano hizo mucho calor. Encontré a mi padre extenuado. Se ahogaba en el intento de respirar un aire sofocante. Una grave enfermedad de pulmón lo tenía agotado, incapaz ni de mantenerse erguido sobre una montaña de almohadas. Yo velaba sus horas turnándome con mi madre.

Una tarde… Estábamos solos los dos, se oía en la huerta el incansable charloteo de Juana y la sosegada réplica de mi madre. Por la ventana entreabierta se filtraba la sombra movible de la parra. Yo había cerrado los ojos un instante, abrumada de cansancio y de pena. Cuando los abrí, él me estaba mirando y por su rostro exangüe se deslizaban dos lágrimas. En aquel momento supe que iba a morir. Esto ocurrió el doce de julio. El dieciséis le puse un telegrama a Ezequiel: «Mi padre ha muerto. Ven en seguida». No llegó la respuesta. Pero apenas acabábamos de enterrar a mi padre ya estaban llegando las primeras noticias de una sublevación militar, allá en Canarias. Las noticias eran confusas. «El Gobierno garantiza… El pueblo resiste… El Ejército avanza.»

En quince días la sublevación se había extendido por la provincia de León y había triunfado en la ciudad. Tras la ocupación trabajosa de Los Valles, de mano en mano, de mensajero en mensajero, llegó hasta mí la carta de Eloísa: «Han matado a mi padre y a Ezequiel. Los fusilaron al amanecer con otros muchos, a la entrada de la mina. El Señor les perdone su crimen».

El coche de línea daba tumbos. Cada golpe me dolía en el hueco del estómago vacío, del corazón vacío. Al salir de la ciudad, tapé la cara de Juana con la mano para que no mirara afuera.

En las cunetas había muertos. Vi en seguida el primer brazo rígido elevado hacia el cielo. Luego descubrí cuerpos abandonados sobre la tierra. Unos con la cara escondida, otros bien visible: boca sin voz, arriba; ojos ciegos, arriba; frente dormida, arriba.

Una vieja susurró a mi lado: «Los fusilados de esta noche». El autobús saltaba en los baches. El cuerpo de Ezequiel, la tumba de Ezequiel, la ausencia de Ezequiel… Las palabras golpeaban mi cabeza. A golpes llegaríamos al río, al pozo de las truchas, al puente reconstruido. Por él habrían cruzado los camiones cargados de soldados para subir por la carretera hasta el muro de los encastillados en la mina.

Delante de nuestro asiento un hombre desplegaba un periódico abierto. Por encima del respaldo vi la fotografía.

«El General Francisco Franco…» Inesperadamente recordé esa cara, la mañana de Oviedo, aquella boda, su nombre en la reseña del periódico. Recordé su mirada que navegaba más allá del Paseo sobre las cabezas de la gente.

Yo era muy joven y creía en los sueños que estrenaba ese día. No podía imaginar en qué horizontes se perdían los suyos. Acaricié el pelo de Juana. Miré al frente, a la carretera recta. A las orillas, los árboles formaban, tiesos y vigilantes, como soldados uno al lado del otro.

Contar mi vida… Estoy cansada, Juana. Aquí termino. Lo que sigue lo conoces tan bien como yo, lo recuerdas mejor que yo. Porque es tu propia vida.

Las Magnolias, agosto 1989

Índice